S0-AWY-380

Florence E. Watson '99

Stanford University

April 1898.

L'AVARE

A COMEDY BY MOLIÈRE, Jean B. P.

EDITED

With Explanatory Notes for the use of Students

BY

EDWARD S. JOYNES, M.A.

Professor of Modern Languages

in

South Carolina College.

NEW YORK

HENRY HOLT AND COMPANY

F. W. CHRISTERN

BOSTON: CARL SCHOENHOF

INTRODUCTION.

L'AVARE, " The Miser," though not the greatest, is the most amusing and popular of MOLIÈRE'S plays. Since its first success, in 1668, it has been a constant favorite on the stage ; while its literary repute, as a model of the best style of the classic prose comedy, has fully sustained its dramatic popularity. The following well-known extract from Voltaire may here serve as a Preface :

" Cette excellente comédie avait été donnée au public en 1667 ; mais le même préjugé qui fit tomber ' Le Festin de Pierre,' parce qu'il était en prose, avait fait tomber 'L'Avare.' Molière, pour ne point heurter de front le sentiment des critiques, et sachant qu'il faut ménager les hommes quand ils ont tort, donna au public le temps de revenir, et ne rejoua ' L'Avare' qu'un an après : le public, qui, à la longue, se rend toujours au bon, donna à cet ouvrage les applaudissements qu'il mérite. On comprit alors qu'il peut y avoir de fort bonnes comédies en prose et qu'il y a peut-être plus de difficulté à réussir dans ce style ordinaire, où l'esprit seul soutient l'auteur, que dans la ver- sification, qui, par la rime, la cadence et la mesure, prête des ornements à des idées simples que la prose n'embel- lirait pas.

" Il y a dans ' L'Avare' quelques idées prises de Plaute, et embellies par Molière. Plaute avait imaginé le premier de faire en même temps voler la cassette de l'Avare, et séduire sa fille ; c'est de lui qu'est toute l'invention de la scène du jeune homme qui vient avouer le rapt, et que l'Avare prend pour le voleur. Mais on ose dire que Plaute n'a point assez profité de cette situation ; il ne l'a inventée que pour la manquer. Que l'on en juge par ce trait seul : l'amant de la fille ne paraît que dans cette scène ; il vient sans être annoncé ni préparé, et la fille elle-même n'y paraît point du tout.

"Tout le reste de la pièce est de Molière, caractères, intrigues, plaisanteries ; il n'a imité que quelques lignes," etc.

The play unites most skilfully the extremes of high and low comedy. The subject-matter—the great passion of avarice—is serious enough, and the author goes beyond even the limits of comedy in some of the awful traits with which he has painted it. But, in detail, the treatment is lively and amusing, full of humorous scenes and situations, which overflow with fun and laughter, as well as with sharp satire. In the Miser himself the author has united a quick wit and ready repartee with the portrait of the most despicable vice, so that the character is still kept within the proper limits of comedy ; and, though exciting the keenest contempt and ridicule, is yet preserved from strong aversion, or from tragic catastrophe. It has been objected that Molière did not punish the Miser more severely ; but he better knew the true principles of his art. Yet, surely, the contempt of reader and spectator, the insolence of his servants, the rebellion of his children, the exposure and defeat of his shameful plans, and the perpetual torment of a degrading passion, are punishment enough to satisfy the sternest moralist—short of the retributions of tragedy, which did not lie within Molière's scope. The justification of this judgment, it is hoped, will be found in the play itself, which it would be unjust to anticipate by any analysis.

The name Harpagon, we may add, is itself significant—from the Latin, out of the Greek—meaning a "Snatcher" (akin to Harpy), and was adopted by Molière from a Latin comedy. All the other personages, however well drawn or amusing, serve only to set the character of the Miser into light, and with remarkable skill all the incidents are made to serve this central purpose.

This edition has the same object as its predecessors (Le Cid, Athalie, Le Misanthrope). The Notes, it is hoped, will be found to meet the wants of the student. Of various editions which have been consulted, the editor owes special obligations only to that of Fiebig and Leportier (Leipzig, 1856), and to the excellent Translation of Molière by H. Van Laun.

COLUMBIA, S. C., *August,* 1882.

L'AVARE

COMÉDIE DE MOLIÈRE

PERSONNAGES.

HARPAGON, père de Cléante et d'Élise, et amoureux
de Mariane.*

ANSELME, père de Valère et de Mariane.

CLÉANTE, fils d'Harpagon, amant de Mariane.

ÉLISE, fille d'Harpagon.

VALÈRE, fils d'Anselme et amant d'Élise.

MARIANE, fille d'Anselme.

FROSINE, femme d'intrigue.

Maître **SIMON**, courtier.

Maître **JACQUES**, cuisinier et cocher.

LA FLÈCHE, valet de Cléante.

Dame **CLAUDE**, servante d'Harpagon.

BRINDAVOINE,
LA MERLUCHE, } laquais d'Harpagon.

UN COMMISSAIRE, et son clerc.

(La scène est à Paris, dans la maison d'Harpagon.)

* See Introduction.

L'AVARE.

ACTE PREMIER.

SCÈNE I.

VALÈRE, ÉLISE.

Valère.

Hé quoi! charmante Élise, vous devenez mélan-
colique, après les obligeantes assurances que vous
avez eu la bonté de me donner de votre foi! je vous
vois soupirer, hélas! au milieu de ma joie! Est-ce
5 du regret, dites-moi, de m'avoir fait heureux? et
vous repentez-vous de cet engagement où mes feux
ont pu vous contraindre?

Élise.

Non, Valère, je ne puis pas me repentir de tout
ce que je fais pour vous; je m'y sens entraîner par
10 une trop douce puissance: et je n'ai pas même la
force de souhaiter que les choses ne fussent pas.
Mais, à vous dire vrai, le succès me donne de l'inquiétude; et je crains fort de vous aimer un peu
plus que je ne devrais.

Valère.

15 Hé! que pouvez-vous craindre, Élise, dans les
bontés que vous avez pour moi?

1

Élise.

Hélas ! cent choses à-la-fois : l'emportement d'un
père, les reproches d'une famille, les censures du
monde, mais, plus que tout, Valère, le changement
20 de votre cœur, et cette froideur criminelle dont ceux
de votre sexe paient le plus souvent les témoignages
trop ardents d'une innocente amour.

Valère.

Ah ! ne me faites pas ce tort de juger de moi par
les autres : soupçonnez-moi de tout, Élise, plutôt
25 que de manquer à ce que je vous dois. Je vous
aime trop pour cela ; et mon amour pour vous durera
autant que ma vie.

Élise.

Ah ! Valère, chacun tient les mêmes discours.
Tous les hommes sont semblables par les paroles,
30 et ce n'est que les actions qui les découvrent
différents.

Valère.

Puisque les seules actions font connaître ce que
nous sommes, attendez donc, au moins, à juger de
mon cœur par elles ; et ne me cherchez point des
35 crimes dans les injustes craintes d'une fâcheuse pré-
voyance. Ne m'assassinez point, je vous prie, par
les sensibles coups d'un soupçon outrageux ; et donnez-moi le temps de vous convaincre, par mille et
mille preuves, de l'honnêteté de mes feux.

Élise.

40 Hélas ! qu'avec facilité on se laisse persuader par
les personnes que l'on aime ! Oui, Valère, je tiens
votre cœur incapable de m'abuser. Je crois que
vous m'aimez d'un véritable amour, et que vous me
serez fidèle ; je n'en veux point du tout douter, et
45 je retranche mon chagrin aux appréhensions du
blâme qu'on pourra me donner

Valère.

Mais pourquoi cette inquiétude ?

Élise.

Je n'aurais rien à craindre si tout le monde vous
voyait des yeux dont je vous vois ; et je trouve en
50 votre personne de quoi avoir raison aux choses que
je fais pour vous.   Mon cœur, pour sa défense, a
tout votre mérite, appuyé du secours d'une reconnaissance où le ciel m'engage envers vous.   Je me
représente à toute heure ce péril étonnant qui com-
55 mença de nous offrir aux regards l'un de l'autre,
cette générosité surprenante qui vous fit risquer votre
vie pour dérober la mienne à la fureur des ondes,
ces soins pleins de tendresse que vous me fîtes
éclater après m'avoir tirée de l'eau, et les hommages
60 assidus de cet ardent amour que ni le temps ni les
difficultés n'ont rebuté et qui, vous faisant négliger
et parents et patrie, arrête vos pas en ces lieux, y
tient en ma faveur votre fortune déguisée, et vous a
réduit, pour me voir, à vous revêtir de l'emploi de
65 domestique de mon père.   Tout cela fait chez moi,
sans doute, un merveilleux effet ; et c'en est assez, à
mes yeux, pour me justifier l'engagement où j'ai pu
consentir ; mais ce n'est pas assez, peut-être, pour
le justifier aux autres, et je ne suis pas sûre qu'on
70 entre dans mes sentiments.

Valère.

De tout ce que vous avez dit, ce n'est que par
mon seul amour que je prétends, auprès de vous,
mériter quelque chose : et, quant aux scrupules que
vous avez, votre père lui-même ne prend que trop
75 de soin de vous justifier à tout le monde ; et l'excès
de son avarice, et la manière austère dont il vit avec
ses enfants, pourraient autoriser des choses plus
étranges.   Pardonnez-moi, charmante Élise, si j'en

parle ainsi devant vous. Vous savez que, sur ce
80 chapitre, on n'en peut pas dire de bien.   Mais enfin
si je puis, comme je l'espère, retrouver mes parents,
nous n'aurons pas beaucoup de peine à nous les
rendre favorables.   J'en attends des nouvelles avec
impatience; et j'en irai chercher moi-même si elles
85 tardent à venir.

Élise.

Ah! Valère, ne bougez d'ici, je vous prie, et
songez seulement à vous bien mettre dans l'esprit
de mon père.

Valère.

Vous voyez comme je m'y prends, et les adroites
90 complaisances qu'il m'a fallu mettre en usage pour
m'introduire à son service, sous quel masque de
sympathie et de rapports de sentiments je me déguise
pour lui plaire, et quel personnage je joue tous les
jours avec lui afin d'acquérir sa tendresse.   J'y fais
95 des progrès admirables; et j'éprouve que, pour
gagner les hommes, il n'est point de meilleure voie
que de se parer à leurs yeux de leurs inclinations,
que de donner dans leurs maximes, encenser leurs
défauts, et applaudir à ce qu'ils font.   On n'a que
100 faire d'avoir peur de trop charger la complaisance;
et la manière dont on les joue a beau être visible,
les plus fins sont toujours de grandes dupes du côté
de la flatterie; et il n'y a rien de si impertinent et
de si ridicule qu'on ne fasse avaler, lorsqu'on l'assai-
105 sonne en louanges.   La sincérité souffre un peu au
métier que je fais: mais quand on a besoin des
hommes, il faut bien s'ajuster à eux; et puisqu'on
ne saurait les gagner que par là, ce n'est pas la faute
de ceux qui flattent, mais de ceux qui veulent être
110 flattés.

Élise.

Mais que ne tâchez-vous aussi à gagner l'appui

de mon frère, en cas que la servante s'avisât de révéler notre secret ?

Valère.

On ne peut pas ménager l'un et l'autre ; et l'esprit
115 du père et celui du fils sont des choses si opposées, qu'il est difficile d'accommoder ces deux confidences ensemble. Mais vous, de votre part, agissez auprès de votre frère, et servez-vous de l'amitié qui est entre vous deux, pour le jeter dans nos intérêts. Il
120 vient. Je me retire. Prenez ce temps pour lui parler, et ne lui découvrez de notre affaire que ce que vous jugerez à propos.

Élise.

Je ne sais si j'aurai la force de lui faire cette confidence.

SCÈNE II.

CLÉANTE, ÉLISE.

Cléante.

125 Je suis bien aise de vous trouver seule, ma sœur ; et je brûlais de vous parler, pour m'ouvrir à vous d'un secret.

Élise.

Me voilà prête à vous ouïr, mon frère. Qu'avez-vous à me dire ?

Cléante.

130 Bien des choses, ma sœur, enveloppées dans un mot. J'aime.

Élise.

Vous aimez ?

Cléante.

Oui, j'aime. Mais, avant que d'aller plus loin, je sais que je dépends d'un père, et que le nom de fils
135 me soumet à ses volontés ; que nous ne devons

point engager notre foi sans le consentement de
ceux dont nous tenons le jour ; que le ciel les a
faits les maîtres de nos vœux, et qu'il nous est en-
joint de n'en disposer que par leur conduite ; que,
140 n'étant prévenus d'aucune folle ardeur, ils sont en
état de se tromper bien moins que nous, et de voir
beaucoup mieux ce qui nous est propre ; qu'il en
faut plutôt croire les lumières de leur prudence que
l'aveuglement de notre passion ; et que l'emporte-
145 ment de la jeunesse nous entraîne le plus souvent
dans des précipices fâcheux. Je vous dis tout cela,
ma sœur, afin que vous ne vous donniez pas la peine
de me le dire ; car enfin mon amour ne veut rien
écouter, et je vous prie de ne me point faire de re-
150 montrances.

Élise.

Vous êtes-vous engagé, mon frère, avec celle que
vous aimez ?

Cléante.

Non ; mais j'y suis résolu : et je vous conjure,
encore une fois, de ne me point apporter de raisons
155 pour m'en dissuader.

Élise.

Suis-je, mon frère, une si étrange personne ?

Cléante.

Non, ma sœur ; mais vous n'aimez pas. Vous
ignorez la douce violence qu'un tendre amour fait
sur nos cœurs, et j'appréhende votre sagesse.

Élise.

160   Hélas ! mon frère, ne parlons point de ma sagesse.
Il n'est personne qui n'en manque, du moins une
fois en sa vie ; et, si je vous ouvre mon cœur, peut-
être serai-je à vos yeux bien moins sage que vous.

Cléante.

Ah ! plût au ciel que votre âme, comme la
165 mienne. . .

Élise.

Finissons auparavant votre affaire, et me dites qui est celle que vous aimez.

Cléante.

Une jeune personne qui loge depuis peu en ces quartiers, et qui semble être faite pour donner de
170 l'amour à tous ceux qui la voient.   La nature, ma sœur, n'a rien formé de plus aimable; et je me sentis transporté dès le moment que je la vis.   Elle se nomme Mariane, et vit sous la conduite d'une bonne femme de mère qui est presque toujours malade, et
175 pour qui cette aimable fille a des sentiments d'amitié qui ne sont pas imaginables.   Elle la sert, la plaint, et la console, avec une tendresse qui vous toucherait l'âme.   Elle se prend d'un air le plus charmant du monde aux choses qu'elle fait; et l'on voit briller
180 mille grâces en toutes ses actions, une douceur pleine d'attraits, une bonté tout engageante, une honnêteté adorable, une. . . Ah! ma sœur, je voudrais que vous l'eussiez vue!

Élise.

J'en vois beaucoup, mon frère, dans les choses
185 que vous me dites; et pour comprendre ce qu'elle est, il me suffit que vous l'aimez.

Cléante.

J'ai découvert, sous main, qu'elles ne sont pas fort accommodées, et que leur discrète conduite a de la peine à étendre à tous leurs besoins le peu de
190 bien qu'elles peuvent avoir.   Figurez-vous, ma sœur, quelle joie ce peut être que de relever la fortune d'une personne que l'on aime, que de donner adroitement quelques petits secours aux modestes nécessités d'une vertueuse famille; et concevez quel déplaisir
195 ce m'est de voir que, par l'avarice d'un père, je sois dans l'impuissance de goûter cette joie, et de faire

éclater à cette belle aucun témoignage de mon
amour.

Élise.

Oui, je conçois assez, mon frère, quel doit être
200 votre chagrin.

Cléante.

Ah! ma sœur, il est plus grand qu'on ne peut
croire.   Car enfin peut-on rien voir de plus cruel
que cette rigoureuse épargne qu'on exerce sur nous,
que cette sécheresse étrange où l'on nous fait lan-
205 guir? Hé! que nous servira d'avoir du bien, s'il
ne nous vient que dans le temps que nous ne serons
plus dans le bel âge d'en jouir; et si, pour m'entretenir même, il faut que maintenant je m'engage de
tous côtés; si je suis réduit avec vous à chercher
210 tous les jours le secours des marchands pour avoir
moyen de porter des habits raisonnables?   Enfin,
j'ai voulu vous parler pour m'aider à sonder mon
père sur les sentiments où je suis; et, si je l'y trouve
contraire, j'ai résolu d'aller en d'autres lieux, avec
215 cette aimable personne, jouir de la fortune que le
ciel voudra nous offrir.   Je vais chercher partout,
pour ce dessein, de l'argent à emprunter, et, si vos
affaires, ma sœur, sont semblables aux miennes, et
qu'il faille que notre père s'oppose à nos désirs, nous
220 le quitterons là tous deux, et nous nous affranchirons
de cette tyrannie où nous tient, depuis si longtemps,
son avarice insupportable.

Élise.

Il est bien vrai que tous les jours il nous donne
de plus en plus sujet de regretter la mort de notre
225 mère, et que. . .

Cléante.

J'entends sa voix.   Éloignons-nous un peu pour
achever notre confidence; et nous joindrons après

nos forces pour venir attaquer la dareté de son humeur.

SCÈNE III

HARPAGON, LA FLÈCHE.

Harpagon.

230 Hors d'ici tout à l'heure, et qu'on ne réplique pas. Allons, que l'on détale de chez moi, maître juré filou, vrai gibier de potence !

La Flèche (à part).

Je n'ai jamais rien vu de si méchant que ce maudit vieillard ; et je pense, sauf correction, qu'il 235 a le diable au corps.

Harpagon.

Tu murmures entre tes dents ?

La Flèche.

Pourquoi me chassez-vous ?

Harpagon.

C'est bien à toi, pendard, à me demander des raisons ! Sors vite, que je ne t'assomme.

La Flèche.

240 Qu'est-ce que je vous ai fait ?

Harpagon.

Tu m'as fait, que je veux que tu sortes.

La Flèche.

Mon maître, votre fils, m'a donné ordre de l'attendre.

Harpagon.

Va-t'en l'attendre dans la rue, et ne sois point 245 dans ma maison, planté tout droit comme un piquet, à observer ce qui se passe, et faire ton profit de tout. Je ne veux point voir sans cesse devant moi un espion de mes affaires, un traître, dont les yeux maudits assiégent toutes mes actions, dévorent ce

250 que je possède, et furètent de tous côtés pour voir
s'il n'y a rien à voler.

La Flèche.

Comment diantre voulez-vous qu'on fasse pour
vous voler ? Êtes-vous un homme volable quand
vous renfermez toutes choses, et faites sentinelle jour
255 et nuit ?

Harpagon.

Je veux renfermer ce que bon me semble, et faire
sentinelle comme il me plaît. Ne voilà pas de mes
mouchards qui prennent garde à ce qu'on fait ?
(Bas, à part.) Je tremble qu'il n'ait soupçonné
260 quelque chose de mon argent. *(Haut.)* Ne serais-tu
point homme à faire courir le bruit que j'ai chez moi
de l'argent caché ?

La Flèche.

Vous avez de l'argent caché ?

Harpagon.

Non, coquin, je ne dis pas cela. *(Bas.)* J'en-
265 rage ! *(Haut.)* Je demande si, malicieusement, tu
n'irais point faire courir le bruit que j'en ai.

La Flèche.

Hé ! que nous importe que vous en ayez ou que
vous n'en ayez pas, si c'est pour nous la même
chose ?

*Harpagon (levant la main pour donner un soufflet à la
Flèche).*

270 Tu fais le raisonneur ! Je te baillerai de ce rai-
sonnement-ci par les oreilles. Sors d'ici, encore une
fois.

La Flèche.

Hé bien ! je sors.

Harpagon.

Attends. Ne m'emportes-tu rien ?

La Flè:he.

275 Que vous emporterais-je ?

Harpagon.

Viens ça que je voie.   Montre-moi tes mains.

La Flèche.

Les voilà.

Harpagon.

Les autres.

La Flèche.

Les autres ?

Harpagon.

280   Oui.

La Flèche.

Les voilà.

Harpagon (montrant les hauts-de-chausses de la Flèche).

N'as-tu rien mis ici dedans ?

La Flèche.

Voyez vous-même.

Harpagon (tâtant le bas des hauts-de-chausses de la Flèche).

Ces grands hauts-de-chausses sont propres à deve-
285   nir les recéleurs des choses qu'on dérobe, et je voudrais qu'on en eût fait pendre quelqu'un.

La Flèche (à part).

Ah ! qu'un homme comme cela mériterait bien
ce qu'il craint ! et que j'aurais de joie à le voler !

Harpagon.

Hé ?

La Flèche.

290   Quoi ?

Harpagon.

Qu'est-ce que tu parles de voler ?

La Flèche.

Je vous dis que vous fouilliez bien partout pour
voir si je vous ai volé.

Harpagon.

C'est ce que je veux faire.

(Harpagon fouille dans les poches de la Flèche.)

La Flèche (à part).

295   La peste soit de l'avarice et des avaricieux !

Harpagon.

Comment ?   Que dis-tu ?

La Flèche.

Ce que je dis ?

Harpagon.

Oui.   Qu'est-ce que tu dis d'avarice et d'avaricieux ?

La Flèche.

300   Je dis que la peste soit de l'avarice et des avaricieux.

Harpagon.

De qui veux-tu parler ?

La Flèche.

Des avaricieux.

Harpagon.

Et qui sont-ils, ces avaricieux ?

La Flèche.

305   Des vilains et des ladres.

Harpagon.

Mais qui est-ce que tu entends par-là ?

La Flèche.

De quoi vous mettez vous en peine ?

Harpagon.

Je me mets en peine de ce qu'il faut.

La Flèche.

Est-ce que vous croyez que je veux parler de
310 vous ?

Harpagon.

Je crois ce que je crois ; mais je veux que tu me
dises à qui tu parles quand tu dis cela.

La Flèche.

Je parle. . . Je parle à mon bonnet.

Harpagon.

Et moi, je pourrais bien parler à ta barrette.

La Flèche.

315 M'empêcherez-vous de maudire les avaricieux?

Harpagon.

Non; mais je t'empêcherai de jaser et d'être insolent: tais-toi.

La Flèche.

Je ne nomme personne.

Harpagon.

Je te rosserai, si tu parles.

La Flèche.

320 Qui se sent morveux, qu'il se mouche.

Harpagon.

Te tairas-tu?

La Flèche.

Oui, malgré moi.

Harpagon.

Ah! ah!

La Flèche (*montrant à Harpagon une poche de son justaucorps*).

Tenez, voilà encore une poche. Êtes-vous satis-
325 fait?

Harpagon.

Allons, rends-le-moi sans te fouiller.

La Flèche.

Quoi?

Harpagon.

Ce que tu m'as pris.

La Flèche.

Je ne vous ai rien pris du tout.

Harpagon.

330 Assurément?

La Flèche.

Assurément.

Harpagon.

Adieu. Va-t'en à tous les diables

La Flèche (à part).
Me voilà fort bien congédié.
Harpagon.
Je te le mets sur ta conscience au moins.

SCÈNE IV.

HARPAGON, *seul.*

335   Voilà un pendard de valet qui m'incommode fort,
et je ne me plais point à voir ce chien de boiteux-là.
Certes, ce n'est pas une petite peine que de garder
chez soi une grande somme d'argent ; et bien heureux qui a tout son fait bien placé, et ne conserve
340   seulement que ce qu'il faut pour sa dépense.   On
n'est pas peu embarrassé à inventer dans toute une
maison une cache fidèle ; car, pour moi, les coffres-
forts me sont suspects, et je ne veux jamais m'y fier ;
je les tiens justement une franche amorce à voleurs ;
345 et c'est toujours la première chose que l'on va
attaquer.

SCÈNE V.

HARPAGON, ÉLISE et CLÉANTE, *parlant ensemble et restant dans le fond du théâtre.*

Harpagon (se croyant seul).
     Cependant je ne sais si j'aurai bien fait d'avoir
enterré dans mon jardin dix mille écus qu'on me
rendit hier.   Dix mille écus en or, chez soi, est une
350 somme assez. . . *(A part, apercevant Élise et Cléante.)*
O ciel ! je me serai trahi moi-même ! la chaleur
m'aura emporté ; et je crois que j'ai parlé haut,
en raisonnant tout seul. *(A Cléante et à Élise.)*
Qu'est-ce ?

Cléante.
355   Rien, mon père.

Harpagon.

Y a-t-il longtemps que vous êtes là ?

Élise.

Nous ne venons que d'arriver.

Harpagon.

Vous avez entendu. . .

Cléante.

Quoi, mon père ?

Harpagon.

360 Là. .

Élise.

Quoi ?

Harpagon.

Ce que je viens de dire.

Cléante.

Non.

Harpagon.

Si fait, si fait.

Élise.

365 Pardonnez-moi.

Harpagon.

Je vois bien que vous en avez ouï quelques mots.
C'est que je m'entretenais en moi-même de la peine
qu'il y a aujourd'hui à trouver de l'argent, et je disais
qu'il est bien heureux qui peut avoir dix mille écus
370 chez soi.

Cléante.

Nous feignions à vous aborder, de peur de vous
interrompre.

Harpagon.

Je suis bien aise de vous dire cela, afin que vous
n'alliez pas prendre les choses de travers, et vous
375 imaginer que je dise que c'est moi qui ai dix mille
écus.

Cléante.

Nous n'entrons point dans vos affaires.

Harpagon.

Plût à Dieu que je les eusse, les dix mille écus!

Cléante.

Je ne crois pas. . .

Harpagon.

380   Ce serait une bonne affaire pour moi.

Élise.

Ce sont des choses . . .

Harpagon.

J'en aurais bon besoin.

Cléante.

Je pense que . . .

Harpagon.

Cela m'accommoderait fort.

Élise.

385   Vous êtes . . .

Harpagon.

Et je ne me plaindrais pas, comme je fais, que le
temps est misérable.

Cléante.

Mon Dieu! mon père, vous n'avez pas lieu de
vous plaindre, et l'on sait que vous avez assez de
390 bien.

Harpagon.

Comment! j'ai assez de bien? Ceux qui le disent
en ont menti. Il n'y a rien de plus faux; et ce sont
des coquins qui font courir tous ces bruits-là.

Élise.

Ne vous mettez point en colère.

Harpagon.

395   Cela est étrange, que mes propres enfants me
trahissent, et deviennent mes ennemis!

Cléante.

Est-ce être votre ennemi que de dire que vous
avez du bien?

Harpagon.

Oui. De pareils discours, et les dépenses que
400 vous faites, seront cause qu'un de ces jours on me
viendra chez moi me couper la gorge, dans la pensée
que je suis tout cousu de pistoles.

Cléante.

Quelle grande dépense est-ce que je fais?

Harpagon.

Quelle? Est-il rien de plus scandaleux que ce
405 somptueux équipage que vous promenez par la ville?
Je querellais hier votre sœur; mais c'est encore pis.
Voilà qui crie vengeance au ciel; et, à vous prendre
depuis les pieds jusqu'à la tête, il y aurait là de quoi
faire une bonne constitution. Je vous l'ai dit vingt
410 fois, mon fils: toutes vos manières me déplaisent
fort, vous donnez furieusement dans le marquis; et,
pour aller ainsi vêtu, il faut bien que vous me
dérobiez.

Cléante.

Hé! comment vous dérober?

Harpagon.

415 Que sais-je, moi? Où pouvez-vous donc prendre
de quoi entretenir l'état que vous portez?

Cléante.

Moi, mon père? c'est que je joue; et, comme je
suis fort heureux, je mets sur moi tout l'argent que
je gagne.

Harpagon.

420 C'est fort mal faire. Si vous êtes heureux au jeu,
vous en devriez profiter, et mettre à honnête intérêt
l'argent que vous gagnez, afin de le trouver un jour.
Je voudrais bien savoir, sans parler du reste, à quoi
servent tous ces rubans dont vous voilà lardé depuis
425 les pieds jusqu'à la tête, et si une demi-douzaine
d'aiguillettes ne suffit pas pour attacher un haut-de-

2

chausses.   Il est bien nécessaire d'employer de
l'argent à des perruques, lorsque l'on peut porter des
cheveux de son crû, qui ne coûtent rien !   Je vais
430 gager qu'en perruques et rubans il y a du moins
vingt pistoles, et vingt pistoles rapportent par année
dix-huit livres, six sous, huit deniers, à ne les placer
qu'au denier douze.

Cléante.

Vous avez raison.

Harpagon.

435   Laissons cela, et parlons d'autres affaires. (Apercevant Cléante et Élise qui se font des signes.)   Hé !
(Bas à part.)   Je crois qu'ils se font signe l'un à
l'autre de me voler ma bourse. (Haut.) Que veulent
dire ces gestes-là ?

Élise.

440   Nous marchandons, mon frère et moi, à qui par-
lera le premier ; et nous avons tous deux quelque
chose à vous dire.

Harpagon.

Et moi, j'ai quelque chose aussi à vous dire à
tous deux.

Cléante.

445   C'est de mariage, mon père, que nous désirons
vous parler.

Harpagon.

Et c'est de mariage aussi que je veux vous
entretenir.

Élise.

Ah ! mon père !

Harpagon.

450   Pourquoi ce cri ?   Est-ce le mot, ma fille, ou la
chose, qui vous fait peur ?

Cléante.

Le mariage peut nous faire peur à tous deux, de

la façon que vous pouvez l'entendre; et nous crai-
gnons que nos sentiments ne soient pas d'accord avec
455 votre choix.

> *Harpagon.*

Un peu de patience. Ne vous alarmez point.
Je sais ce qu'il faut à tous deux, et vous n'aurez ni
l'un ni l'autre aucun lieu de vous plaindre de tout
ce que je prétends faire ; et pour commencer par un
460 bout (*à Cléante*), avez-vous vu, dites-moi, une jeune
personne appelée Mariane, qui ne loge pas loin
d'ici ?

> *Cléante.*

Oui, mon père.

> *Harpagon.*

Et vous ?

> *Élise.*

465 J'en ai ouï parler.

> *Harpagon.*

Comment, mon fils, trouvez-vous cette fille ?

> *Cléante.*

Une fort charmante personne.

> *Harpagon.*

Sa physionomie ?

> *Cléante.*

Tout honnête et pleine d'esprit.

> *Harpagon.*

470 Son air et sa manière ?

> *Cléante.*

Admirables, sans doute.

> *Harpagon.*

Ne croyez-vous pas qu'une fille comme cela méri
terait assez que l'on songeât à elle ?

> *Cléante.*

Oui, mon père.

> *Harpagon.*

475 Que ce serait un parti souhaitable ?

Cléante.

Très-souhaitable.

Harpagon.

Et qu'un mari aurait satisfaction avec elle ?

Cléante.

Assurément.

Harpagon.

Il y a une 'petite difficulté ; c'est que j'ai peur
480 qu'il n'y ait pas, avec elle, tout le bien qu'on pourrait prétendre.

Cléante.

Ah ! mon père, le bien n'est pas considérable
lorsqu'il est question d'épouser une honnête personne.

Harpagon.

485   Pardonnez-moi, pardonnez-moi.   Mais ce qu'il y a
à dire, c'est que, si l'on n'y trouve pas tout le bien
qu'on souhaite, on peut tâcher de regagner cela sur
autre chose.

Cléante.

Cela s'entend.

Harpagon.

490   Enfin je suis bien aise de vous voir dans mes sentiments, car son maintien honnête et sa douceur
m'ont gagné l'âme ; et je suis résolu de l'épouser,
pourvu que j'y trouve quelque bien.

Cléante.

Hé !

Harpagon.

495   Comment ?

Cléante.

Vous êtes résolu, dites-vous .

Harpagon.

D'épouser Mariane.

Cléante.

Qui ? vous ? vous ?

Harpagon.

Oui, moi, moi, moi.   Que veut dire cela ?

Cléante.

500   Il m'a pris tout-à-coup un éblouissement, et je me
retire d'ici.

Harpagon.

Cela ne sera rien.   Allez vite boire dans la cuisine
un grand verre d'eau claire.

SCÈNE VI.

HARPAGON, ÉLISE.

Harpagon.

Voilà de mes damoiseaux flouets qui n'ont non
505 plus de vigueur que des poules.   C'est là, ma fille,
ce que j'ai résolu pour moi.   Quant à ton frère, je
lui destine une certaine veuve dont ce matin on
m'est venu parler ; et, pour toi, je te donne au seigneur Anselme.

Élise.

510   Au seigneur Anselme ?

Harpagon.

Oui, un homme mûr, prudent et sage, qui n'a
pas plus de cinquante ans, et dont on vante les
grands biens.

Élise (faisant la révérence).

Je ne veux point me marier, mon père, s'il vous
515 plaît.

Harpagon (contrefaisant Élise).

Et moi, ma petite fille, ma mie, je veux que vous
vous mariiez, s'il vous plaît.

Élise (faisant encore la révérence).

Je vous demande pardon, mon père.

Harpagon (contrefaisant Élise).

Je vous demande pardon, ma fille.

Élise.

520 Je suis très-humble servante au seigneur Anselme ;
mais (*faisant encore la révérence*), avec votre permission, je ne l'épouserai point.

Harpagon.

Je suis votre très-humble valet ; mais (*contrefaisant encore Élise*), avec votre permission, vous
525 l'épouserez dès ce soir.

Élise.

Dès ce soir ?

Harpagon.

Dès ce soir.

Élise (*faisant encore la révérence*).

Cela ne sera pas, mon père.

Harpagon (*contrefaisant encore **Élise***).

Cela sera, ma fille.

Élise.

530 Non.

Harpagon.

Si.

Élise.

Non, vous dis-je.

Harpagon.

Si, vous dis-je.

Élise.

C'est une chose où vous ne me **réduirez point**.

Harpagon.

535 C'est une chose où je te réduirai.

Élise.

Je me tuerai plutôt que d'épouser un tel mari.

Harpagon.

Tu ne te tueras point, et tu l'épouseras. Mais
voyez quelle audace ! a-t-on jamais vu une fille parler de la sorte à son père ?

Élise.

540 Mais a-t-on jamais vu un père marier sa fille de
la sorte ?

Harpagon.

C'est un parti où il n'y a rien à redire ; et je gage
que tout le monde approuvera mon choix.

Élise.

Et moi, je gage qu'il ne saurait être approuvé
545 d'aucune personne raisonnable.

Harpagon (apercevant Valère de loin).

Voilà Valère.   Veux-tu qu'entre nous deux nous
le fassions juge de cette affaire ?

Élise.

J'y consens.

Harpagon.

Te rendras-tu à son jugement ?

Élise.

550 Oui, j'en passerai par ce qu'il dira.

Harpagon.

Voilà qui est fait.

SCÈNE VII.

VALÈRE, HARPAGON, ÉLISE.

Harpagon.

Ici, Valère.   Nous t'avons élu pour nous dire qui
a raison, de moi ou de ma fille.

Valère.

C'est vous, monsieur, sans contredit.

Harpagon.

555 Sais-tu bien de quoi nous parlons ?

Valère.

Non ; mais vous ne sauriez avoir tort, et vous
êtes toute raison.

Harpagon.

Je veux ce soir lui donner pour époux un homme

aussi riche que sage ; et la coquine me dit au nez
560 qu'elle se moque de le prendre. Que dis-tu de cela ?

Valère.

Ce que j'en dis ?

Harpagon.

Oui.

Valère.

Hé ! hé !

Harpagon.

Quoi ?

Valère.

565 Je dis que, dans le fond, je suis de votre sentiment ;
et vous ne pouvez pas que vous n'ayez raison ; mais
aussi n'a-t-elle pas tort tout à fait, et . . .

Harpagon.

Comment ! le seigneur Anselme est un parti considérable ; c'est un gentilhomme qui est noble, doux,
570 posé, sage et fort accommodé, et auquel il ne reste
aucun enfant de son premier mariage. Saurait-elle
mieux rencontrer ?

Valère.

Cela est vrai, mais elle pourrait vous dire que c'est
un peu précipiter les choses, et qu'il faudrait au
575 moins quelque temps pour voir si son inclination
pourrait s'accorder avec . . .

Harpagon.

C'est une occasion qu'il faut prendre vite aux
cheveux. Je trouve ici un avantage qu'ailleurs je
ne trouverais pas, et il s'engage à la prendre sans
580 dot.

Valère.

Sans dot ?

Harpagon.

Oui.

Valère.

Ah ! je ne dis plus rien. Voyez-vous ? voilà une

raison tout à fait convaincante ; il se faut rendre à
585 cela.

Harpagon.

C'est pour moi une épargne considérable.

Valère.

Assurément, cela ne reçoit point de contradiction.
Il est vrai que votre fille vous peut représenter que
le mariage est une plus grande affaire qu'on ne peut
590 croire ; qu'il y va d'être heureux ou malheureux
toute sa vie ; et qu'un engagement qui doit durer
jusqu'à la mort ne se doit jamais faire qu'avec de
grandes précautions.

Harpagon.

Sans dot !

Valère.

595 Vous avez raison. Voilà qui décide tout, cela
s'entend. Il y a des gens qui pourraient vous dire
qu'en de telles occasions l'inclination d'une fille est
une chose, sans doute, où l'on doit avoir de l'égard,
et que cette grande inégalité d'âge, d'humeur et de
600 sentiments, rend un mariage sujet à des accidents
très-fâcheux.

Harpagon.

Sans dot !

Valère.

Ah ! il n'y a pas de réplique à cela, on le sait bien.
Qui diantre peut aller là-contre ? Ce n'est pas qu'il
605 n'y ait quantité de pères qui aimeraient mieux ménager la satisfaction de leurs filles que l'argent qu'ils
pourraient donner ; qui ne les voudraient point sacrifier à l'intérêt, et chercheraient, plus que toute
autre chose, à mettre dans un mariage cette douce
610 conformité qui sans cesse y maintient l'honneur, la
tranquillité et la joie ; et que . . .

Harpagon.

Sans dot !

Valère.

Il est vrai, cela ferme la bouche à tout. Sans
dot! Le moyen de résister à une raison comme
615 celle-là!

Harpagon (*à part, regardant du côté du jardin*).

Ouais! il me semble que j'entends un chien qui
aboie. N'est-ce point qu'on en voudrait à mon
argent? (*à Valère*) Ne bougez, je reviens tout à
l'heure.

SCÈNE VIII.

ÉLISE, VALÈRE.

Élise.

620 Vous moquez-vous, Valère, de lui parler comme
vous faites?

Valère.

C'est pour ne point l'aigrir, et pour en venir mieux
à bout. Heurter de front ses sentiments est le
moyen de tout gâter, et il y a de certains esprits
625 qu'il ne faut prendre qu'en biaisant, des tempéra-
ments ennemis de toute résistance, des naturels rétifs
que la vérité fait cabrer, qui toujours se roidissent
contre le droit chemin de la raison, et qu'on ne mène
qu'en tournant où l'on veut les conduire. Faites
630 semblant de consentir à ce qu'il veut, vous en vien-
drez mieux à vos fins, et . . .

Élise.

Mais ce mariage, Valère?

Valère.

On cherchera des biais pour le rompre.

Élise.

Mais quelle invention trouver, s'il se doit conclure
635 ce soir?

Valère.

Il faut demander un délai, et feindre quelque
maladie.

Élise.

Mais on découvrira la feinte, si l'on appelle des
médecins.

Valère.

640 Vous moquez-vous ? Y connaissent-ils quelque
chose ? Allez, allez, vous pourrez avec eux avoir
quel mal il vous plaira ; ils vous trouveront des raisons pour vous dire d'où cela vient.

SCÈNE IX.

HARPAGON, ÉLISE, VALÈRE.

Harpagon (à part, dans le fond du théâtre).
Ce n'est rien, Dieu merci.

Valère (sans voir Harpagon).

645 Enfin notre dernier recours, c'est que la fuite nous
peut mettre à couvert de tout ; et si votre amour,
belle Élise, est capable d'une fermeté . . . (*apercevant Harpagon*) Oui, il faut qu'une fille obéisse à
son père. Il ne faut point qu'elle regarde comme
650 un mari est fait ; et lorsque la grande raison de
" sans dot " s'y rencontre, elle doit être prête à prendre tout ce qu'on lui donne.

Harpagon.

Bon ! Voilà bien parlé cela !

Valère.

Monsieur, je vous demande pardon si je m'emporte
655 un peu, et prends la hardiesse de lui parler comme
je fais.

Harpagon.

Comment ! j'en suis ravi, et je veux que tu prennes
sur elle un pouvoir absolu (*à Élise*). Oui, tu as

beau faire, je lui donne l'autorité que le ciel me
660 donne sur toi, et j'entends que tu fasses tout ce qu'il
te dira.

Valère (à *Élise*).

Après cela, résistez à mes remontrances !

SCÈNE X.

HARPAGON, VALÈRE.

Valère.

Monsieur, je vais la suivre, pour lui continuer les
leçons que je lui faisais.

Harpagon.

665   Oui ; tu m'obligeras, certes.

Valère.

Il est bon de lui tenir un peu la bride haute.

Harpagon.

Cela est vrai.   Il faut . . .

Valère.

Ne vous mettez pas en peine.   Je crois que j'en
viendrai à bout.

Harpagon.

670   Fais, fais.   Je m'en vais faire un petit tour en ville,
et reviens tout à l'heure.

Valère (*adressant la parole à Élise en s'en allant du côté
par où elle est sortie*).

Oui, l'argent est plus précieux que toutes les choses
du monde, et vous devez rendre grâces au ciel de
l'honnête homme de père qu'il vous a donné.   Il
675 sait ce que c'est que de vivre.   Lorsqu'on s'offre de
prendre une fille sans dot, on ne doit point regarder
plus avant.   Tout est renfermé là-dedans ; et, *sans
dot* tient lieu de beauté, de jeunesse, de naissance,
d'honneur, de sagesse et de probité.

Harpagon (seul).

680 Ah! le brave garçon! voilà parler comme un oracle! Heureux, qui peut avoir un domestique de la sorte!

ACTE DEUXIÈME.

SCÈNE I.

CLÉANTE, LA FLÈCHE.

Cléante.

Ah! traître que tu es, où t'es-tu donc allé fourrer? Ne t'avais-je pas donné ordre . . .

La Flèche.

685 Oui, monsieur, je m'étais rendu ici pour vous attendre de pied ferme; mais monsieur votre père, le plus malgracieux des hommes, m'a chassé dehors malgré moi, et j'ai couru risque d'être battu . . .

Cléante.

Comment va notre affaire? Les choses pressent 690 plus que jamais. Depuis que je t'ai vu, j'ai découvert que mon père est mon rival.

La Flèche.

Votre père amoureux?

Cléante.

Oui; et j'ai eu toutes les peines du monde à lui cacher le trouble où cette nouvelle m'a mis.

La Flèche.

695 Lui, se mêler d'aimer! De quoi diable s'avise-t-il? Se moque-t-il du monde? et l'amour a-t-il été fait pour des gens bâtis comme lui?

Cléante.

Il a fallu pour mes péchés que cette passion lui soit venue en tête.

La Flèche.

700 Mais par quelle raison lui faire un mystère de
votre amour ?

Cléante.

Pour lui donner moins de soupçon, et me con-
server, au besoin, des ouvertures plus aisées pour
détourner ce mariage.   Quelle réponse t'a-t-on faite ?

La Flèche.

705 Ma foi, monsieur, ceux qui empruntent sont bien
malheureux ; et il faut essuyer d'étranges choses lorsqu'on est réduit à passer, comme vous, par les mains
des fesse-matthieu.

Cléante.

L'affaire ne se fera point ?

La Flèche.

710 Pardonnez-moi.   Notre maître Simon, le courtier
qu'on nous a donné, homme agissant et plein de
zèle, dit qu'il a fait rage pour vous, et il assure que
votre seule physionomie lui a gagné le cœur.

Cléante.

J'aurai les quinze mille francs que je demande ?

La Flèche.

715 Oui, mais à quelques petites conditions qu'il faudra que vous acceptiez, si vous avez dessein que les
choses se fassent.

Cléante.

T'a-t-il fait parler à celui qui doit prêter l'argent ?

La Flèche.

Ah ! vraiment, cela ne va pas de la sorte.   Il
720 apporte encore plus de soin à se cacher que vous ;
et ce sont des mystères bien plus grands que vous
ne pensez.   On ne veut point du tout dire son nom,
et l'on doit aujourd'hui l'aboucher avec vous dans
une maison empruntée, pour être instruit par votre
725 bouche de votre bien et de votre famille ; et je ne

doute point que le seul nom de votre père ne rende
les choses faciles.

Cléante.

Et principalement ma mère étant morte, dont on
ne peut m'ôter le bien.

La Flèche.

730 Voici quelques articles qu'il a dictés lui-même à
notre entremetteur, pour vous être montrés avant
que de rien faire :

"Supposé que le prêteur voie toutes ses sûretés, et
que l'emprunteur soit majeur, et d'une famille où le
735 bien soit ample, solide, assuré, clair, et net de tout
embarras, on fera une bonne et exacte obligation
par-devant un notaire, le plus honnête homme qu'il
se pourra, et qui, pour cet effet, sera choisi par le prêteur, auquel il importe le plus que l'acte soit dûment
740 dressé."

Cléante.

Il n'y a rien à dire à cela.

La Flèche.

"Le prêteur, pour ne charger sa conscience
d'aucun scrupule, prétend ne donner son argent qu'au
denier dix-huit."

Cléante.

745 Au denier dix-huit ? Parbleu ! voilà qui est honnête. Il n'y a pas lieu de se plaindre.

La Flèche.

Cela est vrai.

"Mais comme ledit prêteur n'a pas chez lui la
somme dont il est question, et que, pour faire plaisir
750 à l'emprunteur, il est contraint lui-même de l'emprunter d'un autre sur le pied du denier cinq, il
conviendra que ledit premier emprunteur paie cet
intérêt, sans préjudice du reste, attendu que ce n'est
que pour l'obliger que ledit prêteur s'engage à cet
755 emprunt."

Cléante.

Comment diable! quel juif! quel arabe est-ce là!
C'est plus qu'au denier quatre.

La Flèche.

Il est vrai, c'est ce que j'ai dit.   Vous avez à voir
là-dessus.

Cléante.

760   Que veux-tu que je voie? j'ai besoin d'argent, et
il faut bien que je consente à tout.

La Flèche.

C'est la réponse que j'ai faite.

Cléante.

Il y a encore quelque chose?

La Flèche.

Ce n'est plus qu'un petit article.

765   "Des quinze mille francs qu'on demande, le prêteur ne pourra compter en argent que douze mille
livres; et, pour les mille écus restants, il faudra que
l'emprunteur prenne les hardes, nippes et bijoux dont
s'ensuit le mémoire, et que ledit prêteur a mis de
770 bonne foi au plus modique prix qu'il lui a été possible."

Cléante.

Que veut dire cela?

La Flèche.

Écoutez le mémoire.

"Premièrement un lit de quatre pieds à bandes
775 de point de Hongrie, appliquées fort proprement sur
un drap de couleur d'olive, avec six chaises et la
courte-pointe de même; le tout bien conditionné,
et doublé d'un petit taffetas changeant rouge et
bleu.

780   "Plus, un pavillon à queue, d'une bonne serge
d'Aumale rose sèche, avec le mollet et les franges
de soie."

Cléante.

Que veut-il que je fasse de cela ?

La Flèche.

Attendez.

785 " Plus, une tenture de tapisserie des amours de
Gombaud et de Macée.

" Plus, une grande table de bois de noyer à douze
colonnes ou piliers tournés, qui se tire par les deux
bouts, et garnie par le dessous de ses six escabelles."

Cléante.

790 Qu'ai-je à faire, morbleu. . . .

La Flèche.

Donnez-vous patience.

" Plus, trois gros mousquets tout garnis de nacre
de perle, avec les trois fourchettes assortissantes.

" Plus, un fourneau de brique avec deux cornues
795 et trois récipients fort utiles à ceux qui sont curieux
de distiller."

Cléante.

J'enrage !

La Flèche.

Doucement.

" Plus, un luth de Bologne, garni de toutes ses
800 cordes, ou peu s'en faut.

" Plus, un trou-madame, et un damier, avec un
jeu de l'oie, renouvelé des Grecs, fort propre à passer le temps lorsque l'on n'a que faire.

" Plus, une peau de lézard de trois pieds et demi,
805 remplie de foin, curiosité agréable pour pendre au
plancher d'une chambre.

" Le tout ci-dessus mentionné valant loyalement
plus de quatre mille cinq cents livres, et rabaissé à
la valeur de mille écus, par la discrétion du prêteur.'

Cléante.

810 Que la peste l'étouffe avec sa discrétion, le traître,

3

le bourreau qu'il est! A-t-on jamais parlé d'une
usure semblable? et n'est-il pas content du furieux
intérêt qu'il exige, sans vouloir encore m'obliger à
prendre pour trois mille livres les vieux rogatons
815 qu'il ramasse? Je n'aurai pas deux cents écus de
tout cela. Et cependant il faut bien me résoudre
à consentir à ce qu'il veut : car il est en état de me
faire tout accepter, et il me tient, le scélérat, le poi-
gnard sur la gorge.

La Flèche.

820 Je vous vois, monsieur, ne vous en déplaise, dans
le grand chemin justement que tenait Panurge pour
se ruiner, prenant argent d'avance, achetant cher,
vendant à bon marché, et mangeant son blé en
herbe.

Cléante.

825 Que veux-tu que j'y fasse? voilà où les jeunes
gens sont réduits par la maudite avarice des pères :
et on s'étonne, après cela, que les fils souhaitent qu'ils
meurent!

La Flèche.

Il faut avouer que le vôtre animerait contre sa
830 vilenie le plus posé homme du monde. Je n'ai pas,
Dieu merci, les inclinations fort patibulaires; et,
parmi mes confrères que je vois se mêler de beaucoup de petits commerces, je sais tirer adroitement
mon épingle du jeu, et me démêler prudemment de
835 toutes les galanteries qui sentent tant soit peu l'échelle :
mais, à vous dire vrai, il me donnerait, par ses pro-
cédés, des tentations de le voler; et je croirais, en
le volant, faire une action méritoire.

Cléante.

Donne-moi un peu ce mémoire, que je le voie
840 encore.

SCÈNE II.

HARPAGON, MAÎTRE SIMON, CLÉANTE **ET LA**
FLÈCHE *dans le fond du théâtre.*

Maître Simon.

Oui, monsieur, c'est un jeune homme qui a besoin d'argent : ses affaires le pressent d'en trouver,
et il en passera par tout ce que vous prescrirez.

Harpagon.

Mais, croyez-vous, maître Simon, qu'il n'y ait rien
845 à péricliter ? et savez-vous le nom, les biens et la
famille de celui pour qui vous parlez ?

Maître Simon.

Non. Je ne puis pas bien vous en instruire à
fond ; et ce n'est que par aventure que l'on m'a
adressé à lui : mais vous serez content quand vous
850 le connaîtrez. Tout ce que je saurais vous dire,
c'est que sa famille est fort riche, qu'il n'a plus de
mère déjà, et qu'il s'obligera, si vous voulez, que
son père mourra avant qu'il soit huit mois.

Harpagon.

C'est quelque chose que cela. La charité, maître
855 Simon, nous oblige à faire plaisir aux personnes
lorsque nous le pouvons.

Maître Simon.

Cela s'entend.

La Flèche (*bas, à Cléante, reconnaissant maître Simon*).

Que veut dire ceci ? Notre maître Simon qui
parle à votre père !

Cléante (*bas, à la Flèche*).

860 Lui aurait-on appris qui je suis ? et serais-tu pour
me trahir ?

Maître Simon (*à Cléante et à la Flèche*).

Ah ! ah ! vous êtes bien pressés ! Qui vous a dit
que c'était céans ? (*à Harpagon*). Ce n'est pas moi,
monsieur, au moins, qui leur ai découvert votre nom

865 et votre logis. Mais, à mon avis, il n'y a pas grand
mal à cela; ce sont des personnes discrètes, et vous
pouvez ici vous expliquer ensemble.

Harpagon.

Comment!

Maître Simon (montrant Cléante).

Monsieur est la personne qui veut vous emprunter
870 les quinze mille livres dont je vous ai parlé.

Harpagon.

Comment, pendard! c'est toi qui t'abandonnes à
ces coupables extrémités!

Cléante.

Comment, mon père! c'est vous qui vous portez
à ces honteuses actions!

(*Maître Simon s'enfuit, et la Flèche va se cacher.*)

SCÈNE III.

HARPAGON, CLÉANTE.

Harpagon.

875 C'est toi qui te veux ruiner par des emprunts si
condamnables!

Cléante.

C'est vous qui cherchez à vous enrichir par des
usures si criminelles!

Harpagon.

Oses-tu bien, après cela, paraître devant moi?

Cléante.

880 Osez-vous bien, après cela, vous présenter aux
yeux du monde?

Harpagon.

N'as-tu point de honte, dis-moi, d'en venir à ces
débauches-là, de te précipiter dans des dépenses
effroyables, et de faire une honteuse dissipation du
885 bien que tes parents t'ont amassé avec tant de sueurs?

Cléante.

Ne rougissez-vous point de déshonorer votre con
dition par les commerces que vous faites, de sacrifier
gloire et réputation au désir insatiable d'entasser
écu sur écu, et de renchérir, en fait d'intérêt, sur
890 les plus infâmes subtilités qu'aient jamais inventées
les plus célèbres usuriers?

Harpagon.

Ote-toi de mes yeux, coquin, ôte-toi de mes yeux.

Cléante.

Qui est plus criminel, à votre avis, ou celui qui
achète un argent dont il a besoin, ou bien celui qui
895 vole un argent dont il n'a que faire?

Harpagon.

Retire-toi, te dis-je, et ne m'échauffe pas les
oreilles. (*seul*) Je ne suis pas fâché de cette aventure; et ce m'est un avis de tenir l'œil plus que
jamais sur toutes ses actions.

SCÈNE IV.

FROSINE, HARPAGON.

Frosine.

900 Monsieur . . .

Harpagon.

Attendez un moment, je vais revenir vous parler.
(*à part*). Il est à propos que je fasse un petit tour
à mon argent.

SCÈNE V.

LA FLÈCHE, FROSINE.

La Flèche (*sans voir Frosine*).

L'aventure est tout à fait drôle. Il faut bien qu'il
905 ait quelque part un ample magasin de hardes; car
nous n'avons rien reconnu au mémoire que nous
avons.

Frosine.

He! c'est toi, mon pauvre la Flèche! D'où
vient cette rencontre?

La Flèche.

910   Ah! ah! c'est toi, Frosine! Que viens-tu faire
ici?

Frosine.

Ce que je fais partout ailleurs; m'entremettre
d'affaires, me rendre serviable aux gens et profiter,
du mieux qu'il m'est possible, des petits talents que
915 je puis avoir. Tu sais que, dans ce monde, il faut
vivre d'adresse, et qu'aux personnes comme moi
le ciel n'a donné d'autres rentes que l'intrigue et
que l'industrie.

La Flèche.

As-tu quelque négoce avec le patron du logis?

Frosine.

920   Oui; je traite pour lui quelque petite affaire dont
j'espère une récompense.

La Flèche.

De lui? Ah! ma foi, tu seras bien fine, si tu en
tires quelque chose; et je te donne avis que l'argent
céans est fort cher.

Frosine.

925   Il y a de certains services qui touchent merveil-
leusement.

La Flèche.

Je suis votre valet, et tu ne connais pas encore le
seigneur Harpagon. Le seigneur Harpagon est de
tous les humains l'humain le moins humain, le mortel
930 de tous les mortels le plus dur et le plus serré. Il
n'est point de service qui pousse sa reconnaissance
jusqu'à lui faire ouvrir les mains. De la louange,
de l'estime, de la bienveillance en paroles, et de
l'amitié, tant qu'il vous plaira; mais de l'argent,

935 point d'affaires. Il n'est rien de plus sec et de plus
aride que ses bonnes grâces et ses caresses ; et *donner*
est un mot pour qui il a tant d'aversion, qu'il ne dit
jamais *je vous donne*, mais *je vous prête le bon jour.*

Frosine.

Mon Dieu ! je sais l'art de traire les hommes ;
940 j'ai le secret de m'ouvrir leur tendresse, de chatouiller
leurs cœurs, de trouver les endroits par où ils sont
sensibles.

La Flèche.

Bagatelles ici ! Je te défie d'attendrir, du côté
de l'argent, l'homme dont il est question. Il est
945 Turc là-dessus, mais d'une turquerie à désespérer
tout le monde ; et l'on pourrait crever, qu'il n'en
branlerait pas. En un mot, il aime l'argent plus que
réputation, qu'honneur et que vertu ; et la vue d'un
demandeur lui donne des convulsions : c'est le frap-
950 per par son endroit mortel, c'est lui percer le cœur,
c'est lui arracher les entrailles ; et si . . . Mais il
revient, je me retire.

SCÈNE VI.

HARPAGON, FROSINE.

Harpagon (bas).

Tout va comme il faut. (*haut*) Hé bien ! qu'est-ce,
Frosine ?

Frosine.

955 Ah ! mon Dieu ! que vous vous portez bien ! et que
vous avez là un vrai visage de santé !

Harpagon.

Qui ? moi ?

Frosine.

Jamais je ne vous vis un teint si frais et si gaillard.

Harpagon.

Tout de bon ?

Frosine.

960　Comment ! vous n'avez de votre vie été si jeune
que vous êtes, et je vois des gens de vingt-cinq ans
qui sont plus vieux que vous.

Harpagon.

Cependant, Frosine, j'en ai soixante bien comptés.

Frosine.

Hé bien ! qu'est-ce que cela ? soixante ans ? voilà
965 bien de quoi !　C'est la fleur de l'âge, cela ; et vous
entrez maintenant dans la belle saison de l'homme.

Harpagon.

Il est vrai ; mais vingt années de moins pourtant
ne me feraient point de mal, que je crois.

Frosine.

Vous moquez-vous ?　Vous n'avez pas besoin de
970 cela, et vous êtes d'une pâte à vivre jusqu'à cent
ans.

Harpagon.

Tu le crois ?

Frosine.

Assurément ; vous en avez toutes les marques.
Tenez-vous un peu.　Oh ! que voilà bien, entre vos
975 deux yeux, un signe de longue vie !

Harpagon.

Tu te connais à cela ?

Frosine.

Sans doute.　Montrez-moi votre main.　Ah ! mon
Dieu ! quelle ligne de vie !

Harpagon.

Comment ?

Frosine.

980　Ne voyez-vous pas jusqu'où va cette ligne-là ?

Harpagon.

Hé bien ? qu'est-ce que cela veut dire ?

Frosine.

Par ma foi, je disais cent ans ; mais vous passerez les six vingts.

Harpagon.

Est-il possible ?

Frosine.

985 Il faudra vous assommer, vous dis-je ; et vous mettrez en terre et vos enfants et les enfants de vos enfants.

Harpagon.

Tant mieux. Comment va notre affaire ?

Frosine.

Faut-il le demander ? et me voit-on mêler de rien 990 dont je ne vienne à bout ? J'ai, surtout pour les mariages, un talent merveilleux. Il n'est point de partis au monde que je ne trouve en peu de temps le moyen d'accoupler, et je crois, si je me l'étais mis en tête, que je marierais le grand Turc avec la 995 république de Venise. Il n'y avait pas, sans doute, de si grandes difficultés à cette affaire-ci. Comme j'ai commerce chez elles, je les ai à fond l'une et l'autre entretenues de vous ; et j'ai dit à la mère le dessein que vous aviez conçu pour Mariane, à 1000 la voir passer dans la rue et prendre l'air à sa fenêtre.

Harpagon.

Qui a fait réponse . . .

Frosine.

Elle a reçu la proposition avec joie ; et, quand je lui ai témoigné que vous souhaitiez fort que sa fille 1005 assistât ce soir au contrat de mariage qui doit se faire de la vôtre, elle y a consenti sans peine, et me l'a confiée pour cela.

Harpagon.

C'est que je suis obligé, Frosine, de donner à

souper au seigneur Anselme ; et je serai bien aise
1010 qu'elle soit du régal.

Frosine.

Vous avez raison . . . Elle doit après dîner
rendre visite à votre fille, d'où elle fait son compte
d'aller faire un tour à la foire, pour venir ensuite au
souper.

Harpagon.

1015 Hé bien ! elles iront ensemble dans mon carrosse,
que je leur prêterai.

Frosine.

Voilà justement son affaire.

Harpagon.

Mais, Frosine, as-tu entretenu la mère touchant
le bien qu'elle peut donner à sa fille ? Lui as-tu dit
1020 qu'il fallait qu'elle s'aidât un peu, qu'elle fît quelque
effort, qu'elle se saignât pour une occasion comme
celle-ci ? car encore n'épouse-t-on point une fille
sans qu'elle apporte quelque chose.

Frosine.

Comment ! c'est une fille qui vous apportera douze
1025 mille livres de rente.

Harpagon.

Douze mille livres de rente ?

Frosine.

Oui. Premièrement, elle est nourrie et élevée
dans une grande épargne de bouche : c'est une fille
accoutumée à vivre de salade, de lait, de fromage et
1030 de pommes, et à laquelle, par conséquent, il ne faudra ni table bien servie, ni consommés exquis, ni
orges mondés perpétuels, ni les autres délicatesses
qu'il faudrait pour une autre femme ; et cela ne va
pas à si peu de chose, qu'il ne monte bien tous les
1035 ans à trois mille francs pour le moins. Outre cela,
elle n'est curieuse que d'une propreté fort simple, et

n'aime point les superbes habits ni les riches bijoux,
ni les meubles somptueux, où donnent ses pareilles
avec tant de chaleur, et cet article-là vaut plus de
40 quatre mille livres par an. De plus, elle a une
aversion horrible pour le jeu; ce qui n'est pas commun aux femmes d'aujourd'hui; et j'en sais une de
nos quartiers qui a perdu, à trente et quarante, vingt
mille francs cette année. Mais n'en prenons rien
1045 que le quart. Cinq mille francs au jeu par an,
quatre mille francs en habits et bijoux, cela fait neuf
mille livres; et mille écus que nous mettons pour la
nourriture: ne voilà-t-il pas par année vos douze
mille francs bien comptés?

Harpagon.

1050 Oui, cela n'est pas mal; mais ce compte-là n'est
rien de réel.

Frosine.

Pardonnez-moi. N'est-ce pas quelque chose de
réel que de vous apporter en mariage une grande
sobriété, l'héritage d'un grand amour de simplicité
1055 de parure, et l'acquisition d'un grand fonds de haine
pour le jeu.

Harpagon.

C'est une raillerie que de vouloir me constituer sa
dot de toutes les dépenses qu'elle ne fera point. Je
n'irai pas donner quittance de ce que je ne reçois
1060 pas; et il faut bien que je touche quelque chose.

Frosine.

Mon Dieu! vous toucherez assez; et elles m'ont
parlé d'un certain pays où elles ont du bien, dont
vous serez le maître.

Harpagon.

Il faudra voir cela. Mais, Frosine, il y a encore
1065 une chose qui m'inquiète. La fille est jeune, comme
tu vois; et les jeunes gens d'ordinaire n'aiment que

leurs semblables, et ne cherchent que leur com-
pagnie. J'ai peur qu'un homme de mon âge ne soit
pas de son goût, et que cela ne vienne à produire
1070 chez moi certains petits désordres qui ne m'accom
moderaient pas.

Frosine.

Ah! que vous la connaissez mal! C'est encore
une particularité que j'avais à vous dire. Elle a une
aversion épouvantable pour tous les jeunes gens, et
1075 n'a de l'amour que pour les vieillards.

Harpagon.

Elle?

Frosine.

Oui, elle. Je voudrais que vous l'eussiez entendue
parler là-dessus. Elle ne peut souffrir du tout la
vue d'un jeune homme; mais elle n'est point plus
1080 ravie, dit-elle, que lorsqu'elle peut voir un beau
vieillard avec une barbe majestueuse. Les plus vieux
sont pour elle les plus charmants; et je vous avertis
de n'aller pas vous faire plus jeune que vous êtes.
Elle veut tout au moins qu'on soit sexagénaire, et il
1085 n'y a pas quatre mois encore qu'étant près d'être
mariée, elle rompit tout net le mariage, sur ce que
son amant fit voir qu'il n'avait que cinquante-six
ans, et qu'il ne prit point de lunettes pour signer le
contrat.

Harpagon.

1090 Sur cela seulement?

Frosine.

Oui. Elle dit que ce n'est pas contentement pour
elle que cinquante-six ans; et surtout elle est pour
les nez qui portent des lunettes.

Harpagon.

Certes, tu me dis là une chose toute nouvelle.

Frosine.

1095 Cela va plus loin qu'on ne vous peut dire. On

lui voit dans sa chambre quelques tableaux et
quelques estampes. Mais que pensez-vous que ce
soit? des Adonis? des Céphales? des Pâris et des
Apollons? Non; de beaux portraits de Saturne, du
1100 roi Priam, du vieux Nestor, et du bon père Anchise
sur les épaules de son fils.

Harpagon.

Cela est admirable! Voilà ce que je n'aurais
jamais pensé; et je suis bien aise d'apprendre qu'elle
est de cette humeur. En effet, si j'avais été femme,
1105 je n'aurais point aimé les jeunes hommes.

Frosine.

Je le crois bien. Voilà de belles drogues que des
jeunes gens, pour les aimer! ce sont de beaux morveux, de beaux godelureaux, pour donner envie de
leur peau! et je voudrais bien savoir quel ragoût il
1110 y a à eux!

Harpagon.

Pour moi, je n'y en comprends point, et je ne
sais pas comment il y a des femmes qui les aiment
tant.

Frosine.

Il faut être folle fieffée. Trouver la jeunesse aima-
1115 ble, est-ce avoir le sens commun? Sont-ce des
hommes que de jeunes blondins? et peut-on s'attacher à ces animaux-là?

Harpagon.

C'est ce que je dis tous les jours. Avec leur ton
de poule laitée, leurs trois petits brins de barbe
1120 relevés en barbe de chat, leurs perruques d'étoupes,
leurs hauts-de-chausses tout tombants, et leurs estomacs débraillés.

Frosine.

Hé! cela est bien bâti auprès d'une personne
comme vous! Voilà un homme, cela! Il y a de

1125 quoi satisfaire à la vue ; et c'est ainsi qu'il faut être
fait et vêtu pour donner de l'amour.

Harpagon.

Tu me trouves bien ?

Frosine.

Comment ! vous êtes à ravir, et votre figure est à
peindre.   Tournez-vous un peu, s'il vous plaît.   Il
1130 ne se peut pas mieux.   Que je vous voie marcher.
Voilà un corps taillé, libre et dégagé comme il faut,
et qui ne marque aucune incommodité.

Harpagon.

Je n'en ai pas de grandes, Dieu merci ; il n'y a
que ma fluxion qui me prend de temps en temps.

Frosine.

1135 Cela n'est rien ; votre fluxion ne vous sied point
mal, et vous avez grâce à tousser.

Harpagon.

Dis-moi un peu ; Mariane ne m'a-t-elle point
encore vu ?   N'a-t-elle point pris garde à moi en
passant ?

Frosine.

1140 Non ; mais nous nous sommes fort entretenues de
vous : je lui ai fait un portrait de votre personne ;
et je n'ai pas manqué de lui vanter votre mérite, et
l'avantage que ce lui serait d'avoir un mari comme
vous.

Harpagon.

1145 Tu as bien fait, et je t'en remercie.

Frosine.

J'aurais, monsieur, une petite prière à vous faire.
J'ai un procès que je suis sur le point de perdre,
faute d'un peu d'argent (*Harpagon prend un air
sérieux*) ; et vous pourriez facilement me procurer le
1150 gain de ce procès, si vous aviez quelques bontés
pour moi . . .   Vous ne sauriez croire le plaisir

qu'elle aura de vous voir (*Harpagon reprend un air gai*). Ah! que vous lui plairez! et que votre fraise à l'antique fera sur son esprit un effet admirable!
1155 Mais surtout elle sera charmée de votre haut-de-chausses attaché au pourpoint avec des aiguillettes : c'est pour la rendre folle de vous; et un amant aiguilletté sera pour elle un ragoût merveilleux.

Harpagon.

Certes, tu me ravis de me dire cela.

Frosine.

1160 En vérité, monsieur, ce procès m'est d'une consé-quence tout à fait grande (*Harpagon reprend son air sérieux*). Je suis ruinée si je le perds; et quelque petite assistance me rétablirait mes affaires . . . Je voudrais que vous eussiez vu le ravissement où elle
1165 était à m'entendre parler de vous (*Harpagon reprend un air gai*). La joie éclatait dans ses yeux au récit de vos qualités; et je l'ai mise enfin dans une impa-tience extrême de voir ce mariage entièrement conclu.

Harpagon.

Tu m'as fait grand plaisir, Frosine; et je t'en ai,
1170 je te l'avoue, toutes les obligations du monde.

Frosine.

Je vous prie, monsieur, de me donner le petit secours que je vous demande (*Harpagon reprend encore son air sérieux*). Cela me remettra sur pied, et je vous en serai éternellement obligée.

Harpagon.

1175 Adieu. Je vais achever mes dépêches.

Frosine.

Je vous assure, monsieur, que vous ne sauriez jamais me soulager dans un plus grand besoin.

Harpagon.

Je mettrai ordre que mon carrosse soit tout prêt pour vous mener à la foire.

Frosine.

1180 Je ne vous importunerais pas si je ne m'y voyais forcée par la nécessité.

Harpagon.

Et j'aurai soin qu'on soupe de bonne heure pour ne vous point faire malades.

Frosine.

Ne me refusez pas la grâce dont je vous sollicite.
1185 Vous ne sauriez croire, monsieur, le plaisir que . . .

Harpagon.

Je m'en vais. Voilà qu'on m'appelle. Jusqu'à tantôt.

Frosine (seule).

Que la fièvre te serre, chien de vilain, à tous les diables ! Le ladre a été ferme à toutes mes attaques.
1190 Mais il ne me faut pas pourtant quitter la négociation ; et j'ai l'autre côté, en tout cas, d'où je suis assurée de tirer bonne récompense.

ACTE TROISIÈME.

SCÈNE I.

HARPAGON, CLÉANTE, ÉLISE, VALÈRE, Dame CLAUDE, *tenant un balai ;* Maître JACQUES, LA MERLUCHE, BRINDAVOINE.

Harpagon.

Allons, venez çà tous, que je vous distribue mes ordres pour tantôt, et règle à chacun son emploi.
1195 Approchez, dame Claude ; commençons par vous. Bon, vous voilà les armes à la main. Je vous commets au soin de nettoyer partout ; et surtout, prenez garde de frotter les meubles trop fort, de

peur de les user. Outre cela, je vous constitue
1200 pendant le souper au gouvernement des bouteilles ;
et, s'il s'en écarte quelqu'une, et qu'il se casse
quelque chose, je m'en prendrai à vous, et le rabat-
trai sur vos gages.

       Maître Jacques (à part).

Châtiment politique !

       Harpagon (à dame Claude).

1205   Allez.

SCÈNE II.

HARPAGON, CLÉANTE, ÉLISE, VALÈRE, Maître
JACQUES, BRINDAVOINE, LA MERLUCHE.

       Harpagon.

Vous, Brindavoine, et vous, la Merluche, je vous
établis dans la charge de rincer les verres, et de
donner à boire, mais seulement lorsque l'on aura
soif, et non pas selon la coutume de certains imper-
1210 tinents de laquais qui viennent provoquer les gens,
et les faire aviser de boire lorsqu'on n'y songe pas.
Attendez qu'on vous en demande plus d'une fois, et
vous ressouvenez de porter toujours beaucoup d'eau.

       Maître Jacques (à part).

Oui, le vin pur monte à la tête.

       La Merluche.

1215   Quitterons-nous nos souquenilles, monsieur ?

       Harpagon.

Oui, quand vous verrez venir les personnes ; et
gardez bien de gâter vos habits.

       Brindavoine.

Vous savez bien, monsieur, qu'un des devants de
mon pourpoint est couvert d'une grande tache de
1220 l'huile de la lampe.

       La Merluche.

Et moi, monsieur, que j'ai mon haut-de-chausses

tout troué par derrière, et qu'on me voit, révérence
parler . . .

>   *Harpagon* (*à La Merluche*).

Paix : rangez cela adroitement du côté de la
1225 muraille, et presentez toujours le devant au monde.
(*A Brindavoine, en lui montrant comme il doit mettre son
chapeau au devant de son pourpoint pour cacher la tache
d'huile*)

Et vous, tenez toujours votre chapeau ainsi, lorsque
vous servirez.

SCÈNE III.

HARPAGON, CLÉANTE, ÉLISE, VALÈRE, Maître JACQUES.

>   *Harpagon.*

Pour vous, ma fille, vous aurez l'œil sur ce que
l'on desservira, et prendrez garde qu'il ne s'en fasse
1230 aucun dégât.   Cela sied bien aux filles.   Mais cependant préparez-vous à bien recevoir ma maîtresse,
qui vous doit venir visiter, et vous mener avec elle
à la foire.   Entendez-vous ce que je vous dis ?

>   *Élise.*

Oui, mon père.

SCÈNE IV.

HARPAGON, CLÉANTE, VALÈRE, Maître JACQUES.

>   *Harpagon.*

1235 Et vous, mon fils le damoiseau, à qui j'ai la bonté
de pardonner l'histoire de tantôt, ne vous allez pas
aviser non plus de lui faire mauvais visage.

>   *Cléante.*

Moi, mon père ? mauvais visage ? • Et par quelle
raison ?

>   *Harpagon.*

1240 Mon Dieu ! nous savons le train des enfants dont

les pères se remarient, et de quel œil ils ont coutume
de regarder ce qu'on appelle belle-mère. Mais si
vous souhaitez que je perde le souvenir de votre
dernière fredaine, je vous recommande surtout de
1245 régaler d'un bon visage cette personne-là, et de lui
faire enfin tout le meilleur accueil qu'il vous sera
possible.

Cléante.

A vous dire le vrai, mon père, je ne puis pas vous
promettre d'être bien aise qu'elle devienne ma belle-
1250 mère : je mentirais si je vous le disais ; mais pour ce
qui est de la bien recevoir, et de lui faire bon visage,
je vous promets de vous obéir ponctuellement sur ce
chapitre.

Harpagon.

Prenez-y garde, au moins.

Cléante.

1255 Vous verrez que vous n'aurez pas sujet de vous
en plaindre.

Harpagon.

Vous ferez sagement.

SCÈNE V.

HARPAGON, VALÈRE, Maître JACQUES

Harpagon.

Valère, aide-moi à ceci. Oh çà ! maître Jacques,
approchez-vous ; je vous ai gardé pour le dernier.

Maître Jacques.

1260 Est-ce à votre cocher, monsieur, ou bien à votre
cuisinier, que vous voulez parler ? car je suis l'un et
l'autre.

Harpagon.

C'est à tous les deux.

Maître Jacques.

Mais à qui des deux le premier ?

Harpagon.

1265   Au cuisinier.

Maître Jacques.

Attendez donc, s'il vous plaît.

*(Maître Jacques ôte sa casaque de cocher et paraît vêtu en
cuisinier.)*

Harpagon.

Quelle diantre de cérémonie est-ce là ?

Maître Jacques.

Vous n'avez qu'à parler.

Harpagon.

Je me suis engagé, maître Jacques, à donner ce
1270 soir à souper.

Maître Jacques (à part.)

Grande merveille !

Harpagon.

Dis-moi un peu, nous feras-tu bonne chère ?

Maître Jacques.

Oui, si vous me donnez bien de l'argent.

Harpagon.

Que diable ! toujours de l'argent ! Il semble
1275 qu'ils n'aient rien autre chose à dire; de l'argent !
de l'argent ! de l'argent ! Ah ! ils n'ont que ce mot
à la bouche, de l'argent ! Toujours parler d'argent !
Voilà leur épée de chevet, de l'argent.

Valère.

Je n'ai jamais vu de réponse plus impertinente
1280 que celle-là. Voilà une belle merveille que de faire
bonne chère avec bien de l'argent ! c'est une chose
la plus aisée du monde, et il n'y a si pauvre esprit
qui n'en fît bien autant. Mais pour agir en habile
homme, il faut parler de faire bonne chère avec peu
1285 d'argent.

Maître Jacques.

Bonne chère avec peu d'argent !

Valère.

Oui.

Maître Jacques (à Valère).

Par ma foi, monsieur l'intendant, vous nous obligerez de nous faire voir ce secret, et de prendre mon
1290 office de cuisinier; aussi bien vous mêlez-vous céans
d'être le factotum.

Harpagon.

Taisez-vous.   Qu'est-ce qu'il nous faudra?

Maître Jacques.

Voilà monsieur votre intendant, qui vous fera bonne
chère pour peu d'argent.

Harpagon.

1295   Ah! je veux que tu me répondes.

Maître Jacques.

Combien serez-vous de gens à table?

Harpagon.

Nous serons huit ou dix; mais il ne faut prendre
que huit.   Quand il y a à manger pour huit, il y en
a bien pour dix.

Valère.

1300   Cela s'entend.

Maître Jacques.

Hé bien! il faudra quatre grands potages et cinq
assiettes . . . Potages . . . Entrées . . .

Harpagon.

Que diable! voilà pour traiter une ville tout
entière . . .

Maître Jacques.

1305   Rôt . . .

Harpagon (*mettant la main sur la bouche de maître
Jacques*).

Ah! traître, tu manges tout mon bien.

Maître Jacques.

Entremets . . .

Harpagon (*mettant encore la main sur la bouche de maître*
Jacques.)

Encore !

Valère (*à maître Jacques*).

Est-ce que vous avez envie de faire crever tout le
1310 monde ? et monsieur a-t-il invité des gens pour les
assassiner à force de mangeaille ? Allez-vous-en
lire un peu les préceptes de la santé, et demander
aux médecins s'il y a rien de plus préjudiciable à
l'homme que de manger avec excès.

Harpagon.

1315   Il a raison.

Valère.

Apprenez, maître Jacques, vous et vos pareils,
que c'est un coupe-gorge qu'une table remplie de
trop de viandes ; que, pour se bien montrer ami de
ceux que l'on invite, il faut que la frugalité règne
1320 dans les repas qu'on donne et que, suivant le dire
d'un ancien, *il faut manger pour vivre, et non pas vivre*
pour manger.

Harpagon.

Ah ! que cela est bien dit ! approche, que je
t'embrasse pour ce mot.   Voilà la plus belle sentence
1325 que j'aie entendue de ma vie : *il faut vivre pour man-*
ger, et non pas manger pour vi . . .   Non, ce n'est
pas cela.   Comment est-ce que tu dis ?

Valère.

Qu'il faut manger pour vivre, et non pas vivre pour
manger.

Harpagon (*à maître Jacques*).

1330   Oui.   Entends-tu ? (*à Valère*)   Qui est le grand
homme qui a dit cela ?

Valère.

Je ne me souviens pas maintenant de son nom.

Harpagon.

Souviens-toi de m'écrire ces mots : je les veux faire
graver en lettres d'or sur la cheminée de ma salle.

Valère.

1335 Je n'y manquerai pas; et, pour votre souper,
vous n'avez qu'à me laisser faire, je réglerai tout cela
comme il faut.

Harpagon.

Fais donc.

Maître Jacques.

Tant mieux, j'en aurai moins de peine.

Harpagon (à Valère).

1340 Il faudra de ces choses dont on ne mange guère,
et qui rassasient d'abord : quelque bon haricot bien
gras, avec quelque pâté en pot bien garni de
marrons.

Valère.

Reposez-vous sur moi.

Harpagon.

1345 Maintenant, maître Jacques, il faut nettoyer mon
carrosse.

Maître Jacques.

Attendez. Ceci s'adresse au cocher. (*Maître
Jacques remet sa casaque*). Vous dites . . .

Harpagon.

Qu'il faut nettoyer mon carrosse, et tenir mes che-
1350 vaux tout prêts pour conduire à la foire . . .

Maître Jacques.

Vos chevaux, monsieur ! Ma foi, ils ne sont point
du tout en état de marcher. Je ne vous dirai point
qu'ils sont sur la litière : les pauvres bêtes n'en ont
point, et ce serait mal parler; mais vous leur faites
1355 observer des jeûnes si austères que ce ne sont plus
rien que des idées, des fantômes, ou des façons de
chevaux.

Harpagon.

Les voilà bien malades! ils ne font rien.

Maître Jacques.

Et pour ne faire rien, monsieur, est-ce qu'il ne
1360 faut rien manger? Il leur vaudrait bien mieux, les
pauvres animaux, de travailler beaucoup, et de
manger de même. Cela me fend le cœur, de les
voir ainsi exténués; car enfin j'ai une tendresse
pour mes chevaux, qu'il me semble que c'est moi-
1365 même, quand je les vois pâtir; je m'ôte tous les
jours pour eux les choses de la bouche: et c'est être,
monsieur, d'un naturel trop dur, que de n'avoir nulle
pitié de son prochain.

Harpagon.

Le travail ne sera pas grand d'aller jusqu'à la
1370 foire.

Maître Jacques.

Non, monsieur, je n'ai point le courage de les
mener, et je ferais conscience de leur donner des
coups de fouet en l'état où ils sont. Comment
voudriez-vous qu'ils traînassent un carrosse? ils ne
1375 peuvent pas se traîner eux-mêmes.

Valère.

Monsieur, j'obligerai le voisin Picard à se charger
de les conduire; aussi bien nous fera-t-il ici besoin
pour apprêter le souper.

Maître Jacques.

Soit. J'aime mieux encore qu'ils meurent sous
1380 la main d'un autre que sous la mienne.

Valère.

Maître Jacques fait bien le raisonnable.

Maître Jacques.

Monsieur l'intendant fait bien le nécessaire.

Harpagon.

Paix!

Maître Jacques.

Monsieur, je ne saurais souffrir les flatteurs ; et je
1385　vois que ce qu'il en fait, que ses contrôles perpétuels
sur le pain et le vin, le bois, le sel et la chandelle,
ne sont rien que pour vous gratter et vous faire sa
cour. J'enrage de cela, et je suis fâché tous les
jours d'entendre ce qu'on dit de vous : car enfin je
1390　me sens pour vous de la tendresse, en dépit que j'en
aie ; et après mes chevaux, vous êtes la personne
que j'aime le plus.

Harpagon.

Pourrais-je savoir de vous, maître Jacques, ce que
l'on dit de moi ?

Maître Jacques.

1395　Oui, monsieur, si j'étais assuré que cela ne vous
fâchât point.

Harpagon.

Non, en aucune façon.

Maître Jacques.

Pardonnez-moi ; je sais fort bien que je vous
mettrais en colère.

Harpagon.

1400　Point du tout ; au contraire, c'est me faire plaisir,
et je suis bien aise d'apprendre comme on parle de
moi.

Maître Jacques.

Monsieur, puisque vous le voulez, je vous dirai
franchement qu'on se moque partout de vous, qu'on
1405　nous jette de tous côtés cent brocards à votre sujet ;
et que l'on n'est point plus ravi que de vous tenir au
cul et aux chausses, et de faire sans cesse des contes
de votre lésine. L'un dit que vous faites doubler
les quatre-temps et les vigiles, afin de profiter des
1410　jeûnes où vous obligez votre monde ; l'autre, que
vous avez toujours une querelle toute prête à faire à

vos valets dans le temps des étrennes, ou de leur
sortie d'avec vous, pour vous trouver une raison de
ne leur donner rien. Celui-là conte qu'une fois vous
1415 fîtes assigner le chat d'un de vos voisins, pour vous
avoir mangé un reste de gigot de mouton ; celui-ci,
que l'on vous surprit une nuit en venant dérober
vous-même l'avoine de vos chevaux, et que votre
cocher, qui était celui d'avant moi, vous donna dans
1420 l'obscurité je ne sais combien de coups de bâton,
dont vous ne voulûtes rien dire. Enfin, voulez-vous
que je vous dise ? on ne saurait aller nulle part où
l'on ne vous entende accommoder de toutes pièces ;
vous êtes la fable et la risée de tout le monde ; et
1425 jamais on ne parle de vous que sous les noms d'avare,
de ladre, de vilain et de fesse-matthieu.

Harpagon (en battant maître Jacques).

Vous êtes un sot, un maraud, un coquin, et un
impudent.

Maître Jacques.

Hé bien ! ne l'avais-je pas deviné ? Vous ne
1430 m'avez pas voulu croire. Je vous avais bien dit que
je vous fâcherais de vous dire la vérité.

Harpagon.

Apprenez à parler.

SCÈNE VI.

VALÈRE, Maître JACQUES.

Valère (riant).

A ce que je puis voir, maître Jacques, on paie mal
votre franchise.

Maître Jacques.

1435 Morbleu ! monsieur le nouveau venu, qui faites
l'homme d'importance, ce n'est pas votre affaire.
Riez de vos coups de bâton quand on vous en don-
nera, et ne venez point rire des miens.

Valère.

Ah! monsieur maître Jacques, ne vous fâchez pas,
1440 je vous prie.

Maître Jacques (à part).

Il file doux.   Je veux faire le brave, et, s'il est
assez sot pour me craindre, le frotter quelque peu.
(*Haut.*) Savez-vous bien, monsieur le rieur, que je
ne ris pas, moi, et que, si vous m'échauffez la tête,
1445 je vous ferai rire d'une autre sorte?

(*Maître Jacques pousse Valère jusqu'au fond du théâtre en
le menaçant.*)

Valère.

Hé! doucement.

Maître Jacques.

Comment, doucement!   Il ne me plaît pas, moi.

Valère.

De grâce.

Maître Jacques.

Vous êtes un impertinent.

Valère.

1450 Monsieur maître Jacques . . .

Maître Jacques.

Il n'y a point de monsieur maître Jacques pour
un double.   Si je prends un bâton, je vous rosserai
d'importance.

Valère.

Comment! un bâton!

(*Valère fait reculer maître Jacques à son tour.*)

Maître Jacques.

1455 Hé! je ne parle pas de cela.

Valère.

Savez-vous bien, monsieur le fat, que je suis
homme à vous rosser vous-même?

Maître Jacques.

Je n'en doute pas.

Valère.

Que vous n'êtes, pour tout potage, qu'un faquin
1460 de cuisinier?

Maître Jacques.

Je le sais bien.

Valère.

Et que vous ne me connaissez pas encore?

Maître Jacques.

Pardonnez-moi.

Valère.

Vous me rosserez, dites-vous?

Maître Jacques.

1465 Je le disais en raillant.

Valère.

Et moi je ne prends point de goût à votre raillerie.
(*Donnant des coups de bâton à maître Jacques.*)
Apprenez que vous êtes un mauvais railleur.

Maître Jacques (*seul*).

Peste soit de la sincérité! c'est un mauvais métier:
1470 désormais j'y renonce, et je ne veux plus dire vrai.
Passe encore pour mon maître, il a quelque droit de
me battre; mais pour ce monsieur l'intendant, je
m'en vengerai si je puis.

SCÈNE VII.

MARIANE, FROSINE, Maître JACQUES.

Frosine.

Savez-vous, maître Jacques, si votre maître est au
1475 logis?

Maître Jacques.

Oui, vraiment, il y est; je ne le sais que trop.

Frosine.

Dites-lui, je vous prie, que nous sommes ici.

SCÈNE VIII.

MARIANE, FROSINE.

Mariane.

Ah! que je suis, Frosine, dans un étrange état!
et, s'il faut dire ce que je sens, que j'appréhende
1480 cette vue!

Frosine.

Mais pourquoi? et quelle est votre inquiétude?

Mariane.

Hélas! me le demandez-vous? et ne vous figurez-
vous point les alarmes d'une personne toute prête à
voir le supplice où l'on veut l'attacher?

Frosine.

1485 Je vois bien que, pour mourir agréablement,
Harpagon n'est pas le supplice que vous voudriez
embrasser; et je connais, à votre mine, que le jeune
blondin dont vous m'avez parlé vous revient un peu
dans l'esprit.

Mariane.

1490 Oui. C'est une chose, Frosine, dont je ne veux
pas me défendre; et les visites respectueuses qu'il a
rendues chez nous ont fait, je vous l'avoue, quelque
effet dans mon âme.

Frosine.

Mais avez-vous su quel il est?

Mariane.

1495 Non, je ne sais point quel il est: mais je sais qu'il
est fait d'un air à se faire aimer; que si l'on pouvait
mettre les choses à mon choix, je le prendrais plutôt
qu'un autre; et qu'il ne contribue pas peu à me faire
trouver un tourment effroyable dans l'époux qu'on
1500 veut me donner.

Frosine.

Mon Dieu! tous ces blondins sont agréables, et
débitent fort bien leur fait: mais la plupart sont gueux

comme des rats; et il vaut mieux pour vous de
prendre un vieux mari qui vous donne beaucoup de
1505 bien.   Je vous avoue que les sens ne trouvent pas
si bien leur compte du côté que je dis, et qu'il y a
quelques petits dégoûts à essuyer avec un tel époux :
mais cela n'est pas pour durer; et sa mort, croyez-
moi, vous mettra bientôt en état d'en prendre un plus
1510 aimable, qui réparera toutes choses.

Mariane.

Mon Dieu! Frosine, c'est une étrange affaire,
lorsque, pour être heureuse, il faut souhaiter ou attendre le trépas de quelqu'un ; et la mort ne suit pas
tous les projets que nous faisons.

Frosine.

1515   Vous moquez-vous ?   Vous ne l'épousez qu'aux
conditions de vous laisser veuve bientôt, et ce doit
être là un des articles du contrat.   Il serait bien
impertinent de ne pas mourir dans trois mois.   Le
voici en propre personne.

Mariane.

1520   Ah! Frosine, quelle figure!

SCÈNE IX.

HARPAGON, MARIANE, FROSINE.

Harpagon (à Mariane).

Ne vous offensez pas, ma belle, si je viens à vous
avec des lunettes.   Je sais que vos appas frappent
assez les yeux, sont assez visibles d'eux-mêmes, et
qu'il n'est pas besoin de lunettes pour les apercevoir :
1525 mais enfin c'est avec des lunettes qu'on observe les
astres ; et je maintiens et garantis que vous êtes un
astre, mais un astre, le plus bel astre qui soit dans le
pays des astres . . . Frosine, elle ne répond mot,
et témoigne, ce me semble, aucune joie de me voir.

Frosine.

1530 C'est qu'elle est encore toute surprise; et puis les
filles ont toujours honte à témoigner d'abord ce
qu'elles ont dans l'âme.

Harpagon (*à Frosine*).

Tu as raison. (*A Mariane*). Voilà, belle mignonne, ma fille qui vient vous saluer.

SCÈNE X.

HARPAGON, ÉLISE, MARIANE, FROSINE.

Mariane.

1535 Je m'acquitte bien tard, madame, d'une telle
visite.

Élise.

Vous avez fait, madame, ce que je devais faire, et
c'était à moi de vous prévenir.

Harpagon.

Vous voyez qu'elle est grande; mais mauvaise
1540 herbe croît toujours.

Mariane (*bas, à Frosine*).

O l'homme déplaisant!

Harpagon (*à Frosine*).

Que dit la belle?

Frosine.

Qu'elle vous trouve admirable.

Harpagon.

C'est trop d'honneur que vous me faites, adorable
1545 mignonne.

Mariane (*à part*).

Quel animal!

Harpagon.

Je vous suis trop obligé de ces sentiments.

Mariane (*à part*).

Je n'y puis plus tenir.

SCÈNE XI.

HARPAGON, MARIANE, ÉLISE, CLÉANTE, VALÈRE, FROSINE, BRINDAVOINE.

Harpagon.

Voici mon fils aussi qui vous vient faire la révé-
1550 rence.

Mariane (bas, à Frosine).

Ah! Frosine, quelle rencontre! C'est justement
celui dont je t'ai parlé.

Frosine (à Mariane).

L'aventure est merveilleuse.

Harpagon.

Je vois que vous vous étonnez de me voir de si
1555 grands enfants; mais je serai bientôt défait et de l'un
et de l'autre.

Cléante (à Mariane).

Madame, à vous dire le vrai, c'est ici une aventure
où, sans doute, je ne m'attendais pas; et mon père
ne m'a pas peu surpris, lorsqu'il m'a dit tantôt le
1560 dessein qu'il avait formé.

Mariane.

Je puis dire la même chose: c'est une rencontre
imprévue qui m'a surprise autant que vous; et je
n'étais point préparée à une telle àventure.

Cléante.

Il est vrai que mon père, madame, ne peut pas
1565 faire un plus beau choix, et que ce m'est une sensi-
ble joie que l'honneur de vous voir; mais, avec tout
cela, je ne vous assurerai point que je me réjouis du
dessein où vous pourriez être de devenir ma belle-
mère. Le compliment, je vous l'avoue, est trop
1570 difficile pour moi; et c'est un titre, s'il vous plaît,
que je ne vous souhaite point. Ce discours paraîtra
brutal aux yeux de quelques-uns; mais je suis assuré

que vous serez personne à le prendre comme il faudra ; que c'est un mariage, madame, où vous vous
1575 imaginez bien que je dois avoir de la répugnance ;
que vous n'ignorez pas, sachant ce que je suis,
comme il choque mes intérêts, et que vous voulez
bien enfin que je vous dise, avec la permission de
mon père, que si les choses dépendaient de moi, cet
1580 hymen ne se ferait point.

Harpagon.

Voilà un compliment bien impertinent ! Quelle
belle confession à lui faire !

Mariane.

Et moi, pour vous répondre, j'ai à vous dire que
les choses sont fort égales ; et que, si vous auriez de
1585 la répugnance à me voir votre belle-mère, je n'en
aurais pas moins, sans doute, à vous voir mon beau-
fils. Ne croyez pas, je vous prie, que ce soit moi
qui cherche à vous donner cette inquiétude. Je
serais fort fâchée de vous causer du déplaisir ; et, si
1590 je ne m'y vois forcée par une puissance absolue, je
vous donne ma parole que je ne consentirai point au
mariage qui vous chagrine.

Harpagon.

Elle a raison : à sot compliment il faut une réponse de même. Je vous demande pardon, ma belle,
1595 de l'impertinence de mon fils ; c'est un jeune sot
qui ne sait pas encore la conséquence des paroles
qu'il dit.

Mariane.

Je vous promets que ce qu'il m'a dit ne m'a point
du tout offensée ; au contraire, il m'a fait plaisir de
1600 m'expliquer ainsi ses véritables sentiments. J'aime
de lui un aveu de la sorte ; et s'il avait parlé d'autre
façon, je l'en estimerais bien moins.

5

Harpagon.

C'est beaucoup de bonté à vous de vouloir ainsi
excuser ses fautes.   Le temps le rendra plus sage,
1605 et vous verrez qu'il changera de sentiments.

Cléante.

Non, mon père, je ne suis point capable d'en
changer, et je prie instamment madame de le croire.

Harpagon.

Mais voyez quelle extravagance! il continue encore plus fort.

Cléante.

1610   Voulez-vous que je trahisse mon cœur?

Harpagon.

Encore? Avez-vous envie de changer de discours?

Cléante.

Eh bien! puisque vous voulez que je parle d'autre
façon : Souffrez, madame, que je me mette à la
place de mon père, et que je vous avoue que je n'ai
1615 rien vu dans le monde de si charmant que vous; que
je ne conçois rien d'égal au bonheur de vous plaire,
et que le titre de votre époux est une gloire, une
félicité que je préférerais aux destinées des plus
grands princes de la terre.   Oui, madame, le bonheur
1620 de vous posséder est à mes regards la plus belle de
toutes les fortunes; c'est où j'attache toute mon
ambition.   Il n'y a rien que je ne sois capable de
faire pour une conquête si précieuse; et les obstacles
les plus puissants . . .

Harpagon.

1625   Doucement, mon fils, s'il vous plaît.

Cléante.

C'est un compliment que je fais pour vous à
madame.

Harpagon.

Mon Dieu! j'ai une langue pour m'expliquer moi-

même, et je n'ai pas besoin d'un procureur comme
1630 vous. Allons, donnez des siéges.

Frosine.

Non, il vaut mieux que de ce pas nous allions à
la foire, afin d'en revenir plus tôt, et d'avoir tout le
temps ensuite de nous entretenir.

Harpagon (*à Brindavoine*).

Qu'on mette donc les chevaux au carrosse.

SCÈNE XII.

HARPAGON, MARIANE, ÉLISE, CLÉANTE, VALÈRE,
FROSINE.

Harpagon (*à Mariane*).

1635 Je vous prie de m'excuser, ma belle, si je n'ai pas
songé à vous donner un peu de collation avant que
de partir.

Cléante.

J'y ai pourvu, mon père; et j'ai fait apporter ici
quelques bassins d'oranges de la Chine, de citrons
1640 doux et de confitures, que j'ai envoyé quérir de
votre part.

Harpagon (*bas, à Valère*).

Valère!

Valère (*bas, à Harpagon*).

Il a perdu le sens.

Cléante.

Est-ce que vous trouvez, mon père, que ce ne soit
1645 pas assez? Madame aura la bonté d'excuser cela,
s'il lui plaît.

Mariane.

C'est une chose qui n'était pas nécessaire.

Cléante.

Avez-vous jamais vu, madame, un diamant plus
vif que celui que vous voyez que mon père a au
1650 doigt?

Mariane.

Il est vrai qu'il brille beaucoup.

Cléante (ôtant du doigt de son père le diamant, et le donnant
à Mariane).

Il faut que vous le voyiez de près.

Mariane.

Il est fort beau, sans doute, et jette quantité de
feux.

Cléante (se mettant au-devant de Mariane, qui veut rendre
le diamant).

1655   Non, madame, il est en de trop belles mains ; c'est
un présent que mon père vous fait.

Harpagon.

Moi ?

Cléante.

N'est-il pas vrai, mon père, que vous voulez que
madame le garde pour l'amour de vous ?

Harpagon (bas à son fils).

1660   Comment !

Cléante (à Mariane).

Belle demande ! il me fait signe de vous le faire
accepter.

Mariane.

Je ne veux point . . .

Cléante (à Mariane).

Vous moquez-vous ? il n'a garde de le reprendre.

Harpagon (à part).

1665   J'enrage.

Mariane.

Ce serait . . .

Cléante (empêchant toujours Mariane de rendre le diamant)

Non, vous dis-je ; c'est l'offenser.

Mariane.

De grâce . . .

Cléante.

Point du tout.

Harpagon (à part).

1670   Peste soit! . .

Cléante.

Le voilà qui se scandalise de votre refus.

Harpagon (bas à son fils).

Ah! traître!

Cléante (à Mariane).

Vous voyez qu'il se désespère.

Harpagon (bas à son fils en le menaçant).

Bourreau que tu es!

Cléante.

1675   Mon père, ce n'est pas ma faute; je fais ce que je puis pour l'obliger à le garder; mais elle est obstinée.

Harpagon (bas à son fils avec emportement).

Pendard!

Cléante.

Vous êtes cause, madame, que mon père me 1680 querelle.

Harpagon (bas, à son fils, avec les mêmes gestes).

Le coquin!

Cléante (à Mariane).

Vous le ferez tomber malade. De grâce, madame, ne résistez pas davantage.

Frosine (à Mariane).

Mon Dieu! que de façons! Gardez la bague, 1685 puisque monsieur le veut.

Mariane (à Harpagon).

Pour ne vous point mettre en colère, je la garde maintenant; et je prendrai un autre temps pour vous la rendre.

SCÈNE XIII.

HARPAGON, MARIANE, ÉLISE, CLÉANTE, VALÈRE
FROSINE, BRINDAVOINE.

Brindavoine.

Monsieur, il y a là un homme qui veut vous
1690 parler.

Harpagon.

Dis-lui que je suis empêché, et qu'il revienne une
autre fois.

Brindavoine.

Il dit qu'il vous apporte de l'argent.

Harpagon (*à Mariane*).

Je vous demande pardon, je reviens tout à l'heure.

SCÈNE XIV.

HARPAGON, MARIANE, ÉLISE, CLÉANTE, VALÈRE,
FROSINE, LA MERLUCHE.

La Merluche (*courant, et faisant tomber Harpagon*).
1695   Monsieur . . .

Harpagon.

Ah! je suis mort.

Cléante.

Qu'est-ce, mon père?   Vous êtes-vous fait mal?

Harpagon.

Le traître assurément a reçu de l'argent de mes
débiteurs pour me faire rompre le cou.

Valère (*à Harpagon*).
1700   Cela ne sera rien.

La Merluche (*à Harpagon*).

Monsieur, je vous demande pardon: je croyais
bien faire d'accourir vite.

Harpagon.

Que viens-tu faire ici, bourreau?

La Merluche.

Vous dire que vos deux chevaux sont déferrés.

Harpagon.

1705   Qu'on les mène promptement chez le maréchal.

Cléante.

En attendant qu'ils soient ferrés, je vais faire pour vous, mon père, les honneurs de votre logis, et conduire madame dans le jardin, où je ferai porter la collation.

SCÈNE XV.

HARPAGON, VALÈRE.

Harpagon.

1710   Valère, aie un peu l'œil à tout cela ; et prends soin, je te prie, de m'en sauver le plus que tu pourras pour le renvoyer au marchand.

Valère.

C'est assez.

Harpagon (seul).

O fils impertinent ! as-tu envie de me ruiner ?

ACTE QUATRIÈME.

SCÈNE I.

CLÉANTE, MARIANE, ÉLISE, FROSINE.

Cléante.

1715   Rentrons ici, nous serons beaucoup mieux ; il n'y a plus autour de nous personne de suspect, et nous pouvons parler librement.

Élise.

Oui, madame, mon frère m'a fait confidence de la passion qu'il a pour vous. Je sais les chagrins et
1720 les déplaisirs que sont capables de causer de pareilles

traverses; et c'est, je vous assure, avec une tendresse extrême que je m'intéresse à votre aventure.

Mariane.

C'est une douce consolation que de voir dans ses intérêts une personne comme vous; et je vous
1725 conjure, madame, de me garder toujours cette généreuse amitié, si capable de m'adoucir les cruautés de la fortune.

Frosine.

Vous êtes, par ma foi, de malheureuses gens, l'un et l'autre, de ne m'avoir point, avant tout ceci,
1730 avertie de votre affaire. Je vous aurais sans doute détourné cette inquiétude, et n'aurais point amené les choses où l'on voit qu'elles sont.

Cléante.

Que veux-tu? c'est ma mauvaise destinée qui l'a voulu ainsi. Mais, belle Mariane, quelles résolu-
1735 tions sont les vôtres?

Mariane.

Hélas! suis-je en pouvoir de faire des résolutions? et, dans la dépendance où je me vois, puis-je former que des souhaits?

Cléante.

Point d'autre appui pour moi dans votre cœur
1740 que de simples souhaits? point de pitié officieuse? point de secourable bonté? point d'affection agissante?

Mariane.

Que saurais-je vous dire? mettez-vous en ma place, et voyez ce que je puis faire. Avisez, ordon-
1745 nez vous-même, je m'en remets à vous; et je vous crois trop raisonnable pour vouloir exiger de moi que ce qui peut m'être permis par l'honneur et la bienséance.

Cléante.

Hélas! où me réduisez-vous, que de me renvoyer

1750 à ce que voudront me permettre les fâcheux sentiments d'un rigoureux honneur et d'une scrupuleuse
bienséance ?

Mariane.

Mais que voulez-vous que je fasse ? Quand je
pourrais passer sur quantité d'égards où notre sexe
1755 est obligé, j'ai de la considération pour ma mère.
Elle m'a toujours élevée avec une tendresse extrême,
et je ne saurais me résoudre à lui donner du déplaisir. Faites, agissez auprès d'elle; employez tous
vos soins à gagner son esprit : vous pouvez faire et
1760 dire tout ce que vous voudrez, je vous en donne la
licence; et, s'il ne tient qu'à me déclarer en votre
faveur, je veux bien consentir à lui faire un aveu
moi-même de tout ce que je sens pour vous.

Cléante.

Frosine, ma pauvre Frosine, voudrais-tu nous
1765 servir ?

Frosine.

Par ma foi, faut-il le demander ? je le voudrais de
tout mon cœur. Vous savez que de mon naturel je
suis assez humaine. Le ciel ne m'a point fait l'âme
de bronze; et je n'ai que trop de tendresse à rendre
1770 de petits services, quand je vois des gens qui s'entr'aiment en tout bien et en tout honneur. Que pourri-
ons-nous faire à ceci ?

Cléante.

Songe un peu, je te prie.

Mariane.

Ouvre-nous des lumières.

Élise.

1775 Trouve quelque invention pour rompre ce que tu
as fait.

Frosine.

Ceci est assez difficile. (*A Mariane.*) Pour votre

mère, elle n'est pas tout à fait déraisonnable; et
peut-être pourrait-on la gagner et la résoudre à
1780 transporter au fils le don qu'elle veut faire au père.
(*A Cléante.*)　　Mais le mal que j'y trouve, c'est que
votre père est votre père.

Cléante.

Cela s'entend.

Frosine.

Je veux dire qu'il conservera du dépit si l'on
1785 montre qu'on le refuse, et qu'il ne sera point d'humeur ensuite à donner son consentement à votre
mariage.　　Il faudrait, pour bien faire, que le refus
vînt de lui-même, et tâcher par quelque moyen de
le dégoûter de votre personne.

Cléante.

1790 Tu as raison.

Frosine.

Oui, j'ai raison, je le sais bien.　　C'est là ce qu'il
faudrait; mais le diantre est d'en pouvoir trouver
les moyens . . . Attendez.　　Si nous avions quelque
femme un peu sur l'âge, qui fût de mon talent, et
1795 jouât assez bien pour contrefaire une dame de qualité,
par le moyen d'un train fait à la hâte, et d'un bizarre
nom de marquise ou de vicomtesse, que nous suppo-
serions de la basse Bretagne, j'aurais assez d'adresse
pour faire accroire à votre père que ce serait une
1800 personne riche, outre ses maisons, de cent mille écus
en argent comptant; qu'elle serait éperdument amou-
reuse de lui, et souhaiterait de se voir sa femme,
jusqu'à lui donner tout son bien par contrat de mariage : et je ne doute point qu'il ne prêtât l'oreille à
1805 la proposition.　　Car enfin il vous aime fort, je le
sais; mais il aime un peu plus l'argent : et quand,
ébloui de ce leurre, il aurait une fois consenti à ce
qui vous touche, il importerait peu ensuite qu'il se

désabusât, en venant à voir clair aux effets de notre
1810 marquise.

Cléante.

Tout cela est fort bien pensé.

Frosine.

Laissez-moi faire. Je viens de me ressouvenir
d'une de mes amies qui sera notre fait.

Cléante.

Sois assurée, Frosine, de ma reconnaissance, si tu
1815 viens à bout de la chose. Mais, charmante Mariane,
commençons, je vous prie, par gagner votre mère;
c'est toujours beaucoup faire que de rompre ce
mariage. Faites-y de votre part, je vous conjure,
tous les efforts qu'il vous sera possible. Servez-vous
1820 de tout le pouvoir que vous donne sur elle cette
amitié qu'elle a pour vous : déployez sans réserve les
grâces éloquentes, les charmes tout-puissants que le
ciel a placés dans vos yeux et dans votre bouche;
et n'oubliez rien, s'il vous plaît, de ces tendres pa-
1825 roles, de ces douces prières, et de ces caresses tou-
chantes à qui je suis persuadé qu'on ne saurait rien
refuser.

Mariane.

J'y ferai tout ce que je puis, et n'oublierai aucune
chose.

SCÈNE II.

HARPAGON, CLÉANTE, MARIANE, ÉLISE, FROSINE.

Harpagon (*à part, sans être aperçu*).

1830 Ouais! mon fils baise la main de sa prétendue
belle-mère, et sa prétendue belle-mère ne s'en défend
pas fort. Y aurait-il quelque mystère là-dessous ?

Élise.

Voilà mon père.

Harpagon.

1835   Le carrosse est tout prêt, vous pouvez partir quand
il vous plaira.

Cléante.

Puisque vous n'y allez pas, mon père, je m'en vais
les conduire.

Harpagon.

Non, demeurez ; elles iront bien toutes seules, et
1840 j'ai besoin de vous.

SCÈNE III.

HARPAGON, CLÉANTE.

Harpagon.

Oh çà, intérêt de belle-mère à part, que te semble,
à toi, de cette personne ?

Cléante.

Ce qu'il m'en semble ?

Harpagon.

Oui, de son air, de sa taille, de sa beauté, de son
1845 esprit ?

Cléante.

Là, là.

Harpagon.

Mais encore ?

Cléante.

A vous en parler franchement, je ne l'ai pas
trouvée ici ce que je l'avais crue. Son air est de
1850 franche coquette, sa taille est assez gauche, sa beauté
très-médiocre, et son esprit des plus communs. Ne
croyez pas que ce soit, mon père, pour vous en dégoûter ; car, belle-mère pour belle-mère, j'aime
autant celle-là qu'une autre.

Harpagon.

1855   Tu lui disais tantôt pourtant . . .

Cléante.

Je lui ai dit quelques douceurs en votre nom;
mais c'était pour vous plaire.

Harpagon.

Si bien donc que tu n'aurais pas d'inclination
pour elle?

Cléante.

1860 Moi? point du tout.

Harpagon.

J'en suis fâché, car cela rompt une pensée qui
m'était venue dans l'esprit. J'ai fait, en la voyant
ici, réflexion sur mon âge; et j'ai songé qu'on pourra
trouver à redire de me voir marier à une si jeune
1865 personne. Cette considération m'en faisait quitter
le dessein; et comme je l'ai fait demander et que je
suis pour elle engagé de parole, je te l'aurais donnée,
sans l'aversion que tu témoignes.

Cléante.

A moi?

Harpagon.

1870 A toi.

Cléante.

En mariage?

Harpagon.

En mariage.

Cléante.

Écoutez. Il est vrai qu'elle n'est pas fort à mon
goût: mais, pour vous faire plaisir, mon père, je me
1875 résoudrai à l'épouser, si vous voulez.

Harpagon.

Moi? je suis plus raisonnable que tu ne penses;
je ne veux point forcer ton inclination.

Cléante.

Pardonnez-moi; je me ferai cet effort pour l'amour
de vous.

Harpagon.

1880   Non, non ; un mariage ne saurait être heureux où
l'inclination n'est pas.

Cléante.

C'est une chose, mon père, qui peut-être viendra
ensuite ; et l'on dit que l'amour est souvent un fruit
du mariage.

Harpagon.

1885   Non : du côté de l'homme on ne doit point risquer
l'affaire ; et ce sont des suites fâcheuses où je n'ai
garde de te commettre.   Si tu avais senti quelque
inclination pour elle, à la bonne heure, je te l'aurais
fait épouser au lieu de moi : mais, cela n'étant pas,
1890 je suivrai mon premier dessein, et je l'épouserai
moi-même.

Cléante.

Hé bien ! mon père, puisque les choses sont ainsi,
il faut vous découvrir mon cœur, il faut vous révéler
notre secret.   La vérité est que je l'aime, depuis un
1895 jour que je la vis dans une promenade ; que mon dessein était tantôt de vous la demander pour femme,
et que rien ne m'a retenu que la déclaration de vos
sentiments, et la crainte de vous déplaire.

Harpagon.

Lui avez-vous rendu visite ?

Cléante.

1900   Oui, mon père.

Harpagon.

Beaucoup de fois ?

Cléante.

Assez, pour le temps qu'il y a.

Harpagon.

Vous a-t-on bien reçu ?

Cléante.

Fort bien, mais sans savoir qui j'étais ; et c'est ce
1905 qui a fait tantôt la surprise de Mariane.

Harpagon.

Lui avez-vous déclaré votre passion, et le dessein
où vous étiez de l'épouser ?

Cléante.

Sans doute ; et même j'en avais fait à sa mère
quelque peu d'ouverture.

Harpagon.

1910   A-t-elle écouté pour sa fille votre proposition ?

Cléante.

Oui, fort civilement.

Harpagon.

Et la fille correspond-elle fort à votre amour ?

Cléante.

Si j'en dois croire les apparences, je me persuade,
mon père, qu'elle a quelque bonté pour moi.

Harpagon (bas, à part).

1915   Je suis bien aise d'avoir appris un tel secret ; et
voilà justement ce que je demandais. (*Haut.*) Or
sus, mon fils, savez-vous ce qu'il y a ? C'est qu'il
faut songer, s'il vous plaît, à vous défaire de votre
amour, à cesser toutes vos poursuites auprès d'une
1920 personne que je prétends pour moi, et à vous marier
dans peu avec celle qu'on vous destine.

Cléante.

Quoi, mon père, c'est ainsi que vous me jouez.
Hé bien ! puisque les choses en sont venues là, je
vous déclare, moi, que je ne quitterai point la passion
1925 que j'ai pour Mariane ; qu'il n'y a point d'extrémité
où je ne m'abandonne pour vous disputer sa conquête ; et que, si vous avez pour vous le consentement d'une mère, j'aurai d'autres secours peut-être
qui combattront pour moi.

Harpagon.

1930   Comment, pendard ! tu as l'audace d'aller sur mes
brisées !

Cléante.

C'est vous qui allez sur les miennes, et je suis le premier en date.

Harpagon.

Ne suis-je pas ton père ? et ne me dois-tu pas
1925 respect ?

Cléante.

Ce ne sont point ici des choses où les enfants soient obligés de déférer aux pères, et l'amour ne connaît personne.

Harpagon.

Je te ferai bien me connaître avec de bons coups
1930 de bâton.

Cléante.

Toutes vos menaces ne feront rien.

Harpagon.

Tu renonceras à Mariane.

Cléante.

Point du tout.

Harpagon.

Donnez-moi un bâton tout à l'heure.

SCÈNE IV.

HARPAGON, CLÉANTE, Maître JACQUES.

Maître Jacques.

1935   Hé ! hé ! hé ! messieurs, qu'est-ceci ? à quoi
songez-vous ?

Cléante.

Je me moque de cela.

Maître Jacques (à Cléante).

Ah ! monsieur, doucement.

Harpagon.

Me parler avec cette impudence !

Maître Jacques (à Harpagon).

1940   Ah ! monsieur, de grâce.

Cléante.

Je n'en démordrai point.

Maître Jacques (à Cléante).

Hé quoi! à votre père!

Harpagon.

Laissez-moi faire.

Maître Jacques (à Harpagon).

Hé quoi! à votre fils! Encore passe pour moi.

Harpagon.

1945 Je te veux faire toi-même, maître Jacques, juge de cette affaire, pour montrer comme j'ai raison.

Maître Jacques.

J'y consens. (*A Cléante.*) Éloignez-vous un peu.

Harpagon.

J'aime une fille que je veux épouser, et le pendard a l'insolence de l'aimer avec moi, et d'y prétendre 1950 malgré mes ordres.

Maître Jacques.

Ah! il a tort.

Harpagon.

N'est-ce pas une chose épouvantable, qu'un fils qui veut entrer en concurrence avec son père? et ne doit-il pas, par respect, s'abstenir de toucher à mes 1955 inclinations?

Maître Jacques.

Vous avez raison. Laissez-moi lui parler, et demeurez là.

Cléante (à maître Jacques qui s'approche de lui).

Hé bien! oui, puisqu'il veut te choisir pour juge, je n'y recule point; il ne m'importe qui ce soit: et 1960 je veux bien aussi me rapporter à toi, maître Jacques, de notre différend.

Maître Jacques.

C'est beaucoup d'honneur que vous me faites.

Cléante.

Je suis épris d'une jeune personne qui répond à
mes vœux, et reçoit tendrement les offres de ma foi;
1965 et mon père s'avise de venir troubler notre amour
par la demande qu'il en fait faire.

Maître Jacques.

Il a tort assurément.

Cléante.

N'a-t-il point de honte à son âge de songer à se
1970 marier?   Lui sied-il bien d'être encore amoureux?
et ne devrait-il pas laisser cette occupation aux
jeunes gens?

Maître Jacques.

Vous avez raison, il se moque; laissez-moi lui
dire deux mots. (A Harpagon.) Hé bien! votre fils
1975 n'est pas si étrange que vous le dites, et il se met à
la raison : il dit qu'il sait le respect qu'il vous doit,
qu'il ne s'est emporté que dans la première chaleur,
et qu'il ne fera point refus de se soumettre à ce
qu'il vous plaira, pourvu que vous vouliez le traiter
1980 mieux que vous ne faites, et lui donner quelque
personne en mariage dont il ait lieu d'être content.

Harpagon.

Ah! dis-lui, maître Jacques, que, moyennant cela,
il pourra espérer toutes choses de moi, et que, hors
Mariane, je lui laisse la liberté de choisir celle qu'il
1985 voudra.

Maître Jacques.

Laissez-moi faire. (A Cléante.) Hé bien, votre
père n'est pas si déraisonnable que vous le faites; et
il m'a témoigné que ce sont vos emportements qui
l'ont mis en colère, et qu'il n'en veut seulement qu'à
1990 votre manière d'agir; et qu'il sera fort disposé à vous
accorder ce que vous souhaitez, pourvu que vous
vouliez vous y prendre par la douceur, et lui rendre

les déférences, les respects et les soumissions qu'un
fils doit à son père.

Cléante.

1995 Ah! maître Jacques, tu lui peux assurer que, s'il
m'accorde Mariane, il me verra toujours le plus
soumis de tous les hommes, et que jamais je ne ferai
aucune chose que par ses volontés.

Maître Jacques (à Harpagon).

Cela est fait, il consent à ce que vous dites.

Harpagon.

2000 Voilà qui va le mieux du monde.

Maître Jacques (à Cléante).

Tout est conclu; il est content de vos promesses.

Cléante.

Le ciel en soit loué!

Maître Jacques.

Messieurs, vous n'avez qu'à parler ensemble, vous
voilà d'accord maintenant; et vous alliez vous que-
2005 reller, faute de vous entendre.

Cléante.

Mon pauvre maître Jacques, je te serai obligé
toute ma vie.

Maître Jacques.

Il n'y a pas de quoi, monsieur.

Harpagon.

Tu m'as fait plaisir, maître Jacques, et cela mérite
2010 une récompense. (*Harpagon fouille dans sa poche,
maître Jacques tend la main; mais Harpagon ne tire
que son mouchoir en disant:*) Va, je m'en souviendrai,
je t'assure.

Maître Jacques.

Je vous baise les mains.

SCÈNE V.

HARPAGON, CLÉANTE.

Cléante.

2015 Je vous demande pardon, mon père, de l'emportement que j'ai fait paraître.

Harpagon.

Cela n'est rien.

Cléante.

Je vous assure que j'en ai tous les regrets du
monde.

Harpagon.

2020 Et moi j'ai toutes les joies du monde de te voir
raisonnable.

Cléante.

Quelle bonté à vous d'oublier si vite ma faute !

Harpagon.

On oublie aisément les fautes des enfants lorsqu'ils
rentrent dans leur devoir.

Cléante.

2025 Quoi ! ne garder aucun ressentiment de toutes
mes extravagances !

Harpagon.

C'est une chose où tu m'obliges par la soumission
et le respect où tu te ranges.

Cléante.

Je vous promets, mon père, que jusqu'au tombeau
2030 je conserverai dans mon cœur le souvenir de vos
bontés.

Harpagon.

Et moi, je te promets qu'il n'y aura aucune chose
que tu n'obtiennes de moi.

Cléante.

Ah ! mon père, je ne vous demande plus rien, et
2035 c'est m'avoir assez donné que de me donner Mariane.

Harpagon.

Comment ?

Cléante.

Je dis, mon père, que je suis trop content de vous,
et que je trouve toutes choses dans la bonté que
vous avez de m'accorder Mariane.

Harpagon.

2040   Qui est-ce qui parle de t'accorder Mariane ?

Cléante.

Vous, mon père.

Harpagon.

Moi ?

Cléante.

Sans doute.

Harpagon.

Comment ! c'est toi qui as promis d'y renoncer.

Cléante.

2045   Moi, y renoncer ?

Harpagon.

Oui.

Cléante.

Point du tout.

Harpagon.

Tu ne t'es pas départi d'y prétendre ?

Cléante.

Au contraire, j'y suis porté plus que jamais.

Harpagon.

2050   Quoi, pendard ! derechef ?

Cléante.

Rien ne me peut changer.

Harpagon.

Laisse-moi faire, traître.

Cléante.

Faites tout ce qu'il vous plaira.

Harpagon.

Je te défends de me jamais voir.

Cléante.

2055   A la bonne heure.

Harpagon.

Je t'abandonne.

Cléante.

Abandonnez.

Harpagon.

Je te renonce pour mon fils.

Cléante.

Soit.

Harpagon.

2060   Je te déshérite.

Cléante.

Tout ce que vous voudrez.

Harpagon.

Et je te donne ma malédiction.

Cléante.

Je n'ai que faire de vos dons.

SCÈNE VI.

CLÉANTE, LA FLÈCHE.

La Flèche (sortant du jardin avec une cassette).

Ah! monsieur, que je vous trouve à propos.
2065 Suivez-moi vite.

Cléante.

Qu'y a-t-il ?

La Flèche.

Suivez-moi, vous dis-je ; nous sommes bien.

Cléante.

Comment ?

La Flèche.

Voici votre affaire.

Cléante.

2070   Quoi ?

> *La Flèche.*

J'ai guigné ceci tout le jour.

> *Cléante.*

Qu'est-ce que c'est ?

> *La Flèche.*

Le trésor de votre père que j'ai attrapé.

> *Cléante.*

Comment as-tu fait ?

> *La Flèche.*

2075 Vous saurez tout. Sauvons-nous, je l'entends crier.

SCÈNE VII.

HARPAGON, *criant au voleur dès le jardin.*

Au voleur ! au voleur ! à l'assassin ! au meurtrier !
Justice, juste ciel ! Je suis perdu, je suis assassiné ;
on m'a coupé la gorge, on m'a dérobé mon argent.
2080 Qui peut-ce être ? Qu'est-il devenu ? Où est-il ?
Où se cache-t-il ? Que ferai-je pour le trouver ? Où
courir ? Où ne pas courir ? N'est-il point là ?
N'est-il point ici ? Qui est-ce ? Arrête ! (*A lui-
même, se prenant par le bras.*) Rends-moi mon
2085 argent, coquin . . . Ah ! c'est moi . . . Mon esprit
est troublé, et j'ignore où je suis, qui je suis, et ce
que je fais. Hélas ! mon pauvre argent, mon pauvre
argent, mon cher ami, on m'a privé de toi ! et,
puisque tu m'es enlevé, j'ai perdu mon support, ma
2090 consolation, ma joie ; tout est fini pour moi, et je
n'ai plus que faire au monde ! Sans toi il m'est
impossible de vivre. C'en est fait ; je n'en puis
plus, je me meurs, je suis mort, je suis enterré. N'y
a-t-il personne qui veuille me ressusciter, en me
2095 rendant mon cher argent, ou en m'apprenant qui l'a
pris ? Hé ! que dites-vous ? Ce n'est personne.
Il faut, qui que ce soit qui ait fait le coup, qu'avec

beaucoup de soin on ait épié l'heure ; et l'on a **choisi**
justement le temps que je parlais à mon traître de
2100 fils.　Sortons.　Je veux quérir la justice, et faire
donner la question à toute ma maison, à servantes,
à valets, à fils, à fille, et à moi aussi.　Que de gens
assemblés !　Je ne jette mes regards sur personne
qui ne me donne des soupçons, et tout me semble
2105 mon voleur.　Hé ! de quoi est-ce qu'on parle là ?
de celui qui m'a dérobé ?　Quel bruit fait-on là-haut ?
est-ce mon voleur qui y est ?　De grâce, si l'on sait
des nouvelles de mon voleur, je supplie que l'on
m'en dise.　N'est-il point caché là parmi vous ?　Ils
2110 me regardent tous, et se mettent à rire.　Vous verrez
qu'ils ont part, sans doute, au vol que l'on m'a fait.
Allons vite, des commissaires, des archers, des pré-
vôts, des juges, des gênes, des potences et des bour-
reaux !　Je veux faire pendre tout le monde ; et, si
2115 je ne retrouve mon argent, je me pendrai moi-même
après.

ACTE CINQUIÈME.

SCÈNE I.

HARPAGON, UN COMMISSAIRE.

Le Commissaire.

Laissez-moi faire ; je sais mon métier, Dieu merci.
Ce n'est pas d'aujourd'hui que je me mêle de découvrir des vols ; et je voudrais avoir autant de sacs
2120 de mille francs que j'ai fait pendre de personnes.

Harpagon.

Tous les magistrats sont intéressés à prendre cette
affaire en main ; et, si l'on ne me fait retrouver mon
argent, je demanderai justice de la justice.

Le Commissaire.

Il faut faire toutes les poursuites requises.   Vous
2125 dites qu'il y avait dans cette cassette ? . . .

Harpagon.

Dix mille écus bien comptés.

Le Commissaire.

Dix mille écus !

Harpagon.

Dix mille écus.

Le Commissaire.

Le vol est considérable.

Harpagon.

2130   Il n'y a point de supplice assez grand pour
l'énormité de ce crime, et, s'il demeure impuni, les
choses les plus sacrées ne sont plus en sûreté.

Le Commissaire.

En quelles espèces était cette somme ?

Harpagon.

En bons louis d'or et pistoles bien trébuchantes.

Le Commissaire.

2135   Qui soupçonnez-vous de ce vol ?

Harpagon.

Tout le monde ; et je veux que vous arrêtiez
prisonniers la ville et les faubourgs.

Le Commissaire.

Il faut, si vous m'en croyez, n'effaroucher personne,
et tâcher doucement d'attraper quelques preuves,
2140 afin de procéder après, par la rigueur, au recouvre-
ment des deniers qui vous ont été pris.

SCÈNE II.

HARPAGON, UN COMMISSAIRE, Maître JACQUES.

*Maître Jacques (dans le fond du théâtre, en se retournant
du côté par lequel il est entré).*

Je m'en vais revenir.   Qu'on me l'égorge tout à

l'heure ; qu'on me lui fasse griller les pieds ; qu'on
me le mette dans l'eau bouillante, et qu'on me le
2145 pende au plancher.

     Harpagon (*à maître Jacques*).

Qui ? celui qui m'a dérobé ?

     Maître Jacques.

Je parle d'un cochon de lait que votre intendant
me vient d'envoyer, et je veux vous l'accommoder
à ma fantaisie.

     Harpagon.

2150   Il n'est pas question de cela, et voilà monsieur à
qui il faut parler d'autre chose.

     Le Commissaire (*à maître Jacques*).

Ne vous épouvantez point : je suis homme à ne
vous point scandaliser, et les choses iront dans la
douceur.

     Maître Jacques.

2155   Monsieur est de votre souper ?

     Le Commissaire.

Il faut ici, mon cher ami, ne rien cacher à votre
maître.

     Maître Jacques.

Ma foi, monsieur, je montrerai tout ce que je sais
faire, et je vous traiterai du mieux qu'il me sera
2160 possible.

     Harpagon.

Ce n'est pas là l'affaire.

     Maître Jacques.

Si je ne vous fais pas aussi bonne chère que je
voudrais, c'est la faute de monsieur notre intendant,
qui m'a rongé les ailes avec les ciseaux de son
2165 économie.

     Harpagon.

Traître ! il s'agit d'autre chose que de souper ; et
je veux que tu me dises des nouvelles de l'argent
qu'on m'a pris.

Maître Jacques.

On vous a pris de l'argent ?

Harpagon.

2170 Oui, coquin ; et je m'en vais te faire pendre si tu
ne me le rends.

Le Commissaire.

Mon Dieu ! ne le maltraitez point. Je vois à sa
mine qu'il est honnête homme, et que, sans se faire
mettre en prison, il vous découvrira ce que vous
2175 voulez savoir. Oui, mon ami, si vous nous confessez
la chose, il ne vous sera fait aucun mal, et vous serez
récompensé comme il faut par votre maître. On lui
a pris aujourd'hui son argent, et il n'est pas que
vous ne sachiez quelque nouvelle de cette affaire.

Maître Jacques (bas, à part).

2180 Voici justement ce qu'il me faut pour me venger
de notre intendant. Depuis qu'il est entré céans, il
est le favori ; on n'écoute que ses conseils ; et j'ai
aussi sur le cœur les coups de bâton de tantôt.

Harpagon.

Qu'as-tu à ruminer ?

Le Commissaire (à Harpagon).

2185 Laissez-le faire, il se prépare à vous contenter ; et
je vous ai bien dit qu'il était honnête homme.

Maître Jacques.

Monsieur, si vous voulez que je vous dise les
choses, je crois que c'est monsieur votre cher intendant qui a fait le coup.

Harpagon.

2190 Valère ?

Maître Jacques.

Oui.

Harpagon.

Lui, qui me paraît si fidèle ?

Maître Jacques.

Lui-même. Je crois que c'est lui qui vous a
dérobé.

Harpagon.

2195   Et sur quoi le crois-tu ?

Maître Jacques.

Sur quoi ?

Harpagon.

Oui.

Maître Jacques.

Je le crois . . . sur ce que je le crois.

Le Commissaire.

Mais il est nécessaire de dire les indices que vous
2200 avez.

Harpagon.

L'as-tu vu rôder autour du lieu où j'avais mis mon
argent ?

Maître Jacques.

Oui, vraiment. Où était-il, votre argent ?

Harpagon.

Dans le jardin.

Maître Jacques.

2205   Justement. Je l'ai vu rôder dans le jardin. Et
dans quoi est-ce que cet argent était ?

Harpagon.

Dans une cassette.

Maître Jacques.

Voilà l'affaire. Je lui ai vu une cassette.

Harpagon.

Et cette cassette, comment est-elle faite ? Je
2210 verrai bien si c'est la mienne.

Maître Jacques.

Comment elle est faite ?

Harpagon.

Oui.

Maître Jacques.

Elle est faite . . . Elle est faite comme une cassette.

Le Commissaire.

2215 Cela s'entend. Mais dépeignez-la un peu, pour voir.

Maître Jacques.

C'est une grande cassette . . .

Harpagon.

Celle qu'on m'a volée est petite.

Maître Jacques.

Hé! oui, elle est petite, si on le veut prendre par-là; 2220 mais je l'appelle grande pour ce qu'elle contient.

Le Commissaire.

Et de quelle couleur est-elle?

Maître Jacques.

De quelle couleur?

Le Commissaire.

Oui.

Maître Jacques.

Elle est de couleur . . . là, d'une certaine cou-2225 leur . . . Ne sauriez-vous m'aider à dire?

Harpagon.

Hé?

Maître Jacques.

N'est-elle pas rouge?

Harpagon.

Non, grise.

Maître Jacques.

Hé! oui, gris-rouge, c'est ce que je voulais dire.

Harpagon.

2230 Il n'y a point de doute, c'est elle assurément. Écrivez, monsieur, écrivez sa déposition. Ciel! à qui désormais se fier? il ne faut plus jurer de rien; et je crois, après cela, que je suis homme à me voler moi-même

Maître Jacques (à Harpagon).

2235 Monsieur, le voici qui revient. Ne lui allez pas dire au moins que c'est moi qui vous ai découvert cela.

SCÈNE III.

HARPAGON, UN COMMISSAIRE, VALÈRE, Maître JACQUES.

Harpagon.

Approche, viens confesser l'action la plus noire, l'attentat le plus horrible qui jamais ait été commis.

Valère.

2240 Que voulez-vous, monsieur?

Harpagon.

Comment, traître! tu ne rougis pas de ton crime?

Valère.

De quel crime voulez-vous donc parler?

Harpagon.

De quel crime je veux parler, infâme! comme si tu ne savais pas ce que je veux dire! C'est en vain 2245 que tu prétendrais de le déguiser; l'affaire est découverte, et l'on vient de m'apprendre tout. Comment! abuser ainsi de ma bonté, et s'introduire exprès chez moi pour me trahir, pour me jouer un tour de cette nature!

Valère.

2250 Monsieur, puisqu'on vous a découvert tout, je ne veux point chercher de détours, et vous nier la chose.

Maître Jacques (à part).

Oh! oh! aurais-je deviné sans y penser?

Valère.

C'était mon dessein de vous en parler, et je voulais 2255 attendre pour cela des conjonctures favorables;

mais puisqu'il est ainsi, je vous conjure de ne vous
point fâcher, et de vouloir entendre mes raisons.

Harpagon.

Et quelles raisons peux-tu me donner, voleur
infâme ?

Valère.

2260   Ah ! monsieur, je n'ai pas mérité ces noms.   Il
est vrai que j'ai commis une offense envers vous ;
mais, après tout, ma faute est pardonnable.

Harpagon.

Comment pardonnable ! un guet-apens, un assas-
sinat de la sorte !

Valère.

2265   De grâce, ne vous mettez point en colère.   Quand
vous m'aurez ouï, vous verrez que le mal n'est pas
si grand que vous le faites.

Harpagon.

Le mal n'est pas si grand que je le fais !   Quoi !
mon sang, mes entrailles, pendard !

Valère.

2270   Votre sang, monsieur, n'est pas tombé dans de
mauvaises mains.   Je suis d'une condition à ne lui
point faire de tort : et il n'y a rien en tout ceci que
je ne puisse bien réparer.

Harpagon.

C'est bien mon intention, et que tu me restitues
2275 ce que tu m'as ravi.

Valère.

Votre honneur, monsieur, sera pleinement satisfait

Harpagon.

Il n'est pas question d'honneur là-dedans.   Mais
dis-moi, qui t'a porté à cette action ?

Valère.

Hélas ! me le demandez-vous ?

Harpagon.

2280   Oui, vraiment, je te le demande.

Valère.

Un dieu qui porte les excuses de tout ce qu'il fait
faire : l'Amour.

Harpagon.

L'Amour !

Valère.

Oui.

Harpagon.

2285　　Bel amour ! bel amour, ma foi ! l'amour de mes
louis d'or !

Valère.

Non, monsieur, ce ne sont point vos richesses qui
m'ont tenté, ce n'est pas cela qui m'a ébloui ; et je
proteste de ne prétendre rien à tous vos biens, pourvu
2290　que vous me laissiez celui que j'ai.

Harpagon.

Non ferai, de par tous les diables ; je ne te le
laisserai pas.　　Mais voyez quelle insolence, de vouloir retenir le vol qu'il m'a fait !

Valère.

Appelez-vous cela un vol ?

Harpagon.

2295　Si je l'appelle un vol, un trésor comme celui-là !

Valère.

C'est un trésor, il est vrai, et le plus précieux que
vous ayez sans doute ; mais ce ne sera pas le perdre
que de me le laisser.　　Je vous le demande à genoux,
ce trésor plein de charmes ; et pour bien faire il faut
2300　que vous me l'accordiez.

Harpagon.

Je n'en ferai rien.　　Qu'est-ce à dire, cela ?

Valère.

Nous nous sommes promis une foi mutuelle, et
avons fait serment de ne nous point abandonner.

Harpagon.

Le serment est admirable, et la promesse plaisante !

Valère.

2305 Oui, nous nous sommes engagés d'être l'un à
l'autre à jamais.

Harpagon.

Je vous en empêcnerai bien, je vous assure.

Valère.

Rien que la mort ne nous peut séparer.

Harpagon.

C'est être bien endiablé après mon argent!

Valère.

2310 Je vous ai déjà dit, monsieur, que ce n'était point
l'intérêt qui m'avait poussé à faire ce que j'ai fait.
Mon cœur n'a point agi par les ressorts que vous
pensez, et un motif plus noble m'a inspiré cette
résolution.

Harpagon.

2315 Vous verrez que c'est par charité chrétienne qu'il
veut avoir mon bien.   Mais j'y donnerai bon ordre;
et la justice, pendard effronté, me va faire raison de
tout.

Valère.

Vous en userez comme vous voudrez, et me voilà
2320 prêt à souffrir toutes les violences qu'il vous plaira:
mais je vous prie de croire au moins que, s'il y a du
mal, ce n'est que moi qu'il en faut accuser, et que
votre fille, en tout ceci, n'est aucunement coupable.

Harpagon.

Je le crois bien, vraiment: il serait fort étrange
2325 que ma fille eût trempé dans ce crime.   Mais je
veux ravoir mon affaire, et que tu me confesses en
quel endroit tu me l'as enlevée.

Valère.

Moi? . . . je ne l'ai point enlevée; et elle est
encore chez vous.

Harpagon (à part).

2330   O ma chère cassette! (*Haut.*)   Elle n'est point
sortie de ma maison?

Valère.

Non, monsieur.

Harpagon.

Hé! dis-moi un peu; tu n'y as point touché?

Valère.

Moi, y toucher!   Ah! vous lui faites tort, aussi
2335 bien qu'à moi; et c'est d'une ardeur toute pure et
respectueuse que j'ai brûlé pour elle.

Harpagon (à part).

Brûlé pour ma cassette!

Valère.

J'aimerais mieux mourir que de lui avoir fait
paraître aucune pensée offensante: elle est trop
2340 sage et trop honnête pour cela.

Harpagon (à part).

Ma cassette trop honnête!

Valère.

Tous mes désirs se sont bornés à jouir de sa vue;
et rien de criminel n'a profané la passion que ses
beaux yeux m'ont inspirée.

Harpagon (à part).

2345   Les beaux yeux de ma cassette!   Il parle d'elle
comme un amant d'une maîtresse.

Valère.

Dame Claude, monsieur, sait la vérité de cette
aventure; et elle vous peut rendre témoignage . . .

Harpagon.

Quoi! ma servante est complice de l'affaire?

Valère.

2350   Oui, monsieur, elle a été témoin de notre engagement; et c'est après avoir connu l'honnêteté de ma
flamme, qu'elle m'a aidé à persuader votre fille de
me donner sa foi, et de recevoir la mienne.

Harpagon.

Hé! (*A part.*) Est-ce que la peur de la justice
2355 le fait extravaguer? (*A Valère.*) Que nous
brouilles-tu ici de ma fille?

Valère.

Je dis, monsieur, que j'ai eu toutes les peines du
monde à faire consentir sa pudeur à ce que voulait
mon amour.

Harpagon

2360 La pudeur de qui?

Valère.

De votre fille; et c'est seulement depuis hier
qu'elle a pu se résoudre à nous signer mutuellement
une promesse de mariage.

Harpagon.

Ma fille t'a signé une promesse de mariage?

Valère.

2365 Oui, monsieur, comme de ma part je lui en ai
signé une.

Harpagon.

O ciel! autre disgrâce!

Maître Jacques (*au commissaire*).

Écrivez, monsieur, écrivez.

Harpagon.

Rengrégement de mal! surcroît de désespoir!
2370 (*Au commissaire.*) Allons, monsieur, faites le dû de
votre charge, et dressez-lui-moi son procès comme
larron et comme suborneur.

Maître Jacques.

Comme larron et comme suborneur.

Valère.

Ce sont des noms qui ne me sont point dus; et
quand on saura qui je suis . . .

SCÈNE IV.

HARPAGON, ÉLISE, MARIANE, VALÈRE, FROSINE
Maître JACQUES, UN COMMISSAIRE.

Harpagon.

2375   Ah! fille scélérate! fille indigne d'un père comme
moi! c'est ainsi que tu pratiques les leçons que je
t'ai données! Tu te laisses prendre d'amour pour
un voleur infâme, et tu lui engages ta foi sans mon
consentement! Mais vous serez trompés l'un et
2380   l'autre. (*A Élise.*) Quatre bonnes murailles me
répondront de ta conduite; (*à Valère*) et une bonne
potence, pendard effronté, me fera raison de ton
audace.

Valère.

Ce ne sera point votre passion qui jugera l'affaire;
2385   et l'on m'écoutera au moins, avant que de me
condamner.

Harpagon.

Je me suis abusé de dire une potence; et tu seras
roué tout vif.

Élise (aux genoux d'Harpagon).

Ah! mon père, prenez des sentiments un peu plus
2390   humains, je vous prie; et n'allez point pousser les
choses dans les dernières violences du pouvoir paternel. Ne vous laissez point entraîner aux premiers
mouvements de votre passion; et donnez-vous le
temps de considérer ce que vous voulez faire.
2395   Prenez la peine de mieux voir celui dont vous vous
offensez. Il est tout autre que vos yeux ne le jugent;
et vous trouverez moins étrange que je me sois
donnée à lui, lorsque vous saurez que sans lui vous
ne m'auriez plus il y a longtemps. Oui, mon père,
2400   c'est lui qui m'a sauvée de ce grand péril que vous
savez que je courus dans l'eau, et à qui vous devez
la vie de cette même fille dont . . .

Harpagon.

Tout cela n'est rien ; et il valait bien mieux pour
moi qu'il te laissât noyer, que de faire ce qu'il a fait.

Élise.

2405   Mon père, je vous conjure par l'amour paternel
de me . . .

Harpagon.

Non, non, je ne veux rien entendre ; et il faut
que la justice fasse son devoir.

Maître Jacques (à part).

Tu me paieras mes coups de bâton.

Frosine (à part).

2410   Voici un étrange embarras.

SCÈNE V.

ANSELME, HARPAGON, ÉLISE, MARIANE, FROSINE,
VALÈRE, UN COMMISSAIRE, Maître JACQUES.

Anselme.

Qu'est-ce, seigneur Harpagon ? je vous vois tout
ému.

Harpagon.

Ah ! seigneur Anselme, vous me voyez le plus
infortuné de tous les hommes, et voici bien du
2415   trouble et du désordre au contrat que vous venez
faire.   On m'assassine dans le bien, on m'assassine
dans l'honneur ; et voilà un traître, un scélérat qui a
violé tous les droits les plus saints, qui s'est coulé
chez moi, sous le titre de domestique, pour me dé-
2420   rober mon argent et pour me suborner ma fille.

Valère.

Qui songe à votre argent, dont vous me faites un
galimatias ?

Harpagon.

Oui, ils se sont donné l'un à l'autre une promesse
de mariage.   Cet affront vous regarde, seigneur

2425 Anselme; et c'est vous qui devez vous rendre partie
contre lui, et faire à vos dépens toutes les poursuites
de la justice, pour vous venger de son insolence.

Anselme.

Ce n'est pas mon dessein de me faire épouser par
force, et de rien prétendre à un cœur qui se serait
2430 donné; mais pour vos intérêts, je suis prêt à les
embrasser ainsi que les miens propres.

Harpagon.

Voilà monsieur, qui est un honnête commissaire,
qui n'oubliera rien, à ce qu'il m'a dit, de la fonction
de son office. (*Au commissaire, montrant Valère.*)
2435 Chargez-le comme il faut, monsieur, et rendez les
choses bien criminelles.

Valère.

Je ne vois pas quel crime on me peut faire de la
passion que j'ai pour votre fille, et le supplice où
vous croyez que je puisse être condamné pour notre
2440 engagement, lorsqu'on saura ce que je suis.

Harpagon.

Je me moque de tous ces contes; et le monde
aujourd'hui n'est plein que de ces larrons de noblesse,
que de ces imposteurs qui tirent avantage de leur
obscurité, et s'habillent insolemment du premier
2445 nom illustre qu'ils s'avisent de prendre.

Valère.

Sachez que j'ai le cœur trop bon pour me parer
de quelque chose qui ne soit point à moi, et que
tout Naples peut rendre témoignage de ma naissance.

Anselme.

2450 Tout beau! prenez garde à ce que vous allez dire.
Vous risquez ici plus que vous ne pensez; et vous
parlez devant un homme à qui tout Naples est
connu, et qui peut aisément voir clair dans l'histoire
que vous ferez.

Valère.

2455   Je ne suis point homme à rien traindre; et si Naples vous est connu, vous savez qui était Don Thomas d'Alburci.

Anselme.

Sans doute, je le sais; et peu de gens l'ont connu mieux que moi.

Harpagon.

2460   Je ne me soucie, ni de Don Thomas, ni de Don Martin.

(*Harpagon, voyant deux chandelles allumées, en souffle une.*)

Anselme.

De grâce, laissez-le parler; nous verrons ce qu'il en veut dire.

Valère.

Je veux dire que c'est lui qui m'a donné le jour.

Anselme.

2465   Lui?

Valère.

Oui.

Anselme.

Allez, vous vous moquez. Cherchez quelque autre histoire qui vous puisse mieux réussir, et ne prétendez pas vous sauver sous cette imposture.

Valère.

2470   Songez à mieux parler. Ce n'est point une imposture, et je n'avance rien qu'il ne me soit aisé de justifier.

Anselme.

Quoi! vous osez vous dire fils de Don Thomas d'Alburci?

Valère.

2475   Oui, je l'ose, et je suis prêt de soutenir cette vérité contre qui que ce soit.

Anselme.

L'audace est merveilleuse! Apprenez, pour vous

confondre, qu'il y a seize ans pour le moins que
l'homme dont vous nous parlez périt sur mer avec
2480 ses enfants et sa femme, en voulant dérober leur vie
aux cruelles persécutions qui ont accompagné les
désordres de Naples, et qui en firent exiler plusieurs
nobles familles.

Valère.

Oui. Mais apprenez, pour vous confondre, vous,
2485 que son fils, âgé de sept ans, avec un domestique,
fut sauvé de ce naufrage par un vaisseau espagnol,
et que ce fils sauvé est celui qui vous parle. Apprenez que le capitaine de ce vaisseau, touché de ma
fortune, prit amitié pour moi; qu'il me fit élever
2490 comme son propre fils, et que les armes furent mon
emploi dès que je m'en trouvai capable; que j'ai su
depuis peu que mon père n'était point mort, comme
je l'avais toujours cru; que, passant ici, pour l'aller
chercher, une aventure par le ciel concertée me fit
2495 voir la charmante Élise; que cette vue me rendit
esclave de ses beautés, et que la violence de mon
amour et les sévérités de son père me firent prendre
la résolution de m'introduire dans son logis, et d'en-
voyer un autre à la quête de mes parents.

Anselme.

2500 Mais quels témoignages encore, autres que vos
paroles, nous peuvent assurer que ce ne soit point
une fable que vous avez bâtie sur une vérité?

Valère.

Le capitaine espagnol, un cachet de rubis qui était
à mon père, un bracelet d'agate que ma mère m'avait
2505 mis au bras, le vieux Pédro, ce domestique qui se
sauva avec moi du naufrage.

Mariane.

Hélas! à vos paroles je puis ici répondre, moi,
que vous n'imposez point; et tout ce que vous dites

me fait connaître clairement que vous êtes mon
2510 frère.

Valère.

Vous, ma sœur !

Mariane.

Oui : mon cœur s'est ému dès le moment que
vous avez ouvert la bouche ; et notre mère, que
vous allez ravir, m'a mille fois entretenue des dis-
2515 grâces de notre famille. Le ciel ne nous fit point
aussi périr dans ce triste naufrage ; mais il ne nous
sauva la vie que par la perte de notre liberté ; et ce
furent des corsaires qui nous recueillirent, ma mère
et moi, sur un débris de notre vaisseau. Après dix
2520 ans d'esclavage, une heureuse fortune nous rendit
notre liberté, et nous retournâmes dans Naples, où
nous trouvâmes tout notre bien vendu, sans y pouvoir trouver des nouvelles de notre père. Nous
passâmes à Gênes, où ma mère alla ramasser
2525 quelques malheureux restes d'une succession qu'on
avait dechirée ; et de là, fuyant la barbare injustice
de ses parents, elle vint en ces lieux, où elle n'a
presque vécu que d'une vie languissante. *En mauvaise santé*

Anselme.

O ciel, quels sont les traits de ta puissance ! et
2530 que tu fais bien voir qu'il n'appartient qu'à toi de
faire des miracles ! Embrassez-moi, mes enfants, et
mêlez tous deux vos transports à ceux de votre père.

Valère.

Vous êtes notre père ?

Mariane.

C'est vous que ma mère a tant pleuré ?

Anselme.

2535 Oui, ma fille ; oui, mon fils ; je suis Don Thomas
d'Alburci, que le ciel garantit des ondes avec tout
l'argent qu'il portait, et qui vous ayant tous crus

morts durant plus de seize ans, se préparait, après
de longs voyages, à chercher dans l'hymen d'une
2540 douce et sage personne la consolation de quelque
nouvelle famille.   Le peu de sûreté que j'ai vu pour
ma vie à retourner à Naples m'a fait y renoncer
pour toujours; et ayant su trouver moyen d'y faire
vendre ce que j'avais, je me suis habitué ici, où, sous
2545 le nom d'Anselme, j'ai voulu m'éloigner les chagrins
de cet autre nom qui m'a causé tant de traverses.

> *Harpagon* (*à Anselme*).

C'est là votre fils ?

> *Anselme.*

Oui.

> *Harpagon.*

Je vous prends à partie pour me payer dix mille
écus qu'il m'a volés.

2550   *Anselme.*

Lui ! vous avoir volé ?

> *Harpagon.*

Lui-même.

> *Valère.*

Qui vous dit cela ?

> *Harpagon.*

Maître Jacques.

> *Valère* (*à maître Jacques*).

2555 C'est toi qui le dis ?

> *Maître Jacques.*

Vous voyez que je ne dis rien.

> *Harpagon.*

Oui, voilà monsieur le commissaire qui a reçu sa
déposition.

> *Valère.*

Pouvez-vous me croire capable d'une action si
lâche ?

2560
Harpagon.

Capable ou non capable, je veux ravoir mon argent.

SCÈNE VI.

HARPAGON, ANSELME, ÉLISE, MARIANE, CLÉANTE, VALÈRE, FROSINE, UN COMMISSAIRE, Maître JACQUES, LA FLÈCHE.

Cléante.

Ne vous tourmentez point, mon père, et n'accusez personne. J'ai découvert des nouvelles de votre
2565 affaire; et je viens ici pour vous dire que, si vous voulez vous résoudre à me laisser épouser Mariane, votre argent vous sera rendu.

Harpagon.

Où est-il?

Cléante.

Ne vous en mettez point en peine. Il est en
2570 lieu dont je réponds, et tout ne dépend que de moi: c'est à vous de me dire à quoi vous vous déterminez; et vous pouvez choisir, ou de me donner Mariane ou de perdre votre cassette.

Harpagon.

N'en a-t-on rien ôté?

Cléante.

2575 Rien du tout. Voyez si c'est votre dessein de souscrire à ce mariage, et de joindre votre consentement à celui de sa mère, qui lui laisse la liberté de faire un choix entre nous deux.

Mariane (à *Cléante*).

Mais vous ne savez pas que ce n'est pas assez
2580 que ce consentement, et que le ciel (*montrant Valère*), avec un frère que vous voyez, vient de me rendre un père (*montrant Anselme*), dont vous avez à m'obtenir.

Anselme.

Le ciel, mes enfants, ne me redonne point à vous
2585 pour être contraire à vos vœux. Seigneur Harpagon,
vous jugez bien que le choix d'une jeune personne
tombera sur le fils plutôt que sur le père. Allons,
ne vous faites point dire ce qu'il n'est pas nécessaire
d'entendre ; et consentez, ainsi que moi, à ce double
2590 hyménée.

Harpagon.

Il faut, pour me donner conseil, que je voie ma
cassette.

Cléante.

Vous la verrez saine et entière.

Harpagon.

Je n'ai point d'argent à donner en mariage à mes
2595 enfants.

Anselme.

Hé bien ! j'en ai pour eux ; que cela ne vous
inquiète point.

Harpagon.

Vous obligerez-vous à faire tous les frais de ces
deux mariages ?

Anselme.

2600 Oui, je m'y oblige. Êtes-vous satisfait ?

Harpagon.

Oui, pourvu que pour les noces vous me fassiez
faire un habit.

Anselme.

D'accord. Allons jouir de l'allégresse que cet
heureux jour nous présente.

Le Commissaire.

2605 Holà, messieurs, holà ! Tout doucement s'il vous
plaît. Qui me paiera mes écritures ?

Harpagon.

Nous n'avons que faire de vos écritures

Le Commissaire.

Oui ; mais je ne prétends pas, moi, les avoir faites pour rien.

Harpagon (montrant maître Jacques).

2610 Pour votre paiement, voilà un homme que je vous donne à pendre.

Maître Jacques.

Hélas ! comment faut-il donc faire ? On me donne des coups de bâton pour dire vrai, et on me veut pendre pour mentir.

Anselme.

2615 Seigneur Harpagon, il faut lui pardonner cette imposture.

Harpagon.

Vous paierez donc le commissaire ?

Anselme.

Soit. Allons vite faire part de notre joie à votre mère.

Harpagon.

2620 Et moi, voir ma chère cassette.

F I N.

NOTES.

ACT I., SCENE I.

L. 5. *du regret—de :* ' from regret—for having.'

L. 6. *où,* for the relative pronoun : ' to which,' as fre-quently.—*feux* is frequent in this sense.

L. 9. *entraîner,* note infinitive idiom : ' I feel myself drawn to it.'

L. 11. *ne fussent pas :* ' were not '—as they are. The tense of the subjunctive corresponds to the condition implied in the negative.

L. 12. *à vous dire vrai*—idiomatic, as in English : ' to tell you *true* '—*succès* has here its earlier sense of ' issue '—' result.'

L. 22. *amour,* feminine, as frequently in earlier writers and in poetry.

L. 31. *différents* is predicative : ' to be different.' *ce n'est* would be more regularly *ce ne sont.*

L. 34. *me—des crimes*—crimes for me—that is : ' charges against me.'

L. 37. *les sensibles coups—sensibles* is here used in trans-ferred sense, as causing pain—' keenly felt.' Valère speaks like a true lover. Note his passionate *assassinez,* and the emphatic position of his adjectives.

L. 40. *Qu'avec facilité*—how with facility : ' with what facility '—' how easily.'

L. 44. *en* depends on *douter.* Note its position, as here-after.

L. 45. *retranche :* ' confine—to the apprehensions '—i. e., will feel no apprehensions beyond this—an unusual use of *retrancher. on* is here ' other people '—' the world.'

L. 49. *des yeux—dont,* expresses manner, as *voir d'un bon œil,* etc.

L. 50. *de quoi avoir raison :* ' enough to justify me '—in, etc. *aux,* in sense of *dans les.*

L. 55. *commença de,* etc. : ' which first offered us '—the expression is unusual.

L. 58. *me fîtes éclater :* ' showed me '—' lavished upon me.' The same expression recurs.

L. 63. *déguisée* is to be construed predicatively with *tient.* In these lines the situation is artfully indicated.

L. 66. *c'en est assez :* ' it is enough '—*en,* idiomatic, as frequently. See l. 142, Note.

L. 71. *ce n'est que—seul :* ' It is only by my love alone '— Valère here shows the pardonable pleonasm of a lover.

L. 74. *trop de soin,* etc., is explained in the following lines, again more fully indicating the situation.

L. 83. *j'en attends*—i.e., *de mes parents ;* in the next line, *en* refers to *des nouvelles.*

L. 89. *et les adroites,* etc., connects with *comme,* etc., preceding, as also the following clauses, all objective to *vous voyez.*—*qu'il m'a fallu,* etc., ' which I *have had* to employ.'

L. 97. *se parer—de :* ' to make a show of,' ' affect.' *donner dans,* idiom : ' to chime in with,' as we say *give in to.*

L. 100. *On n'a que faire,* idiom : ' one need not.' *de trop charger :* ' of laying on too thick '—the expression being purposely inelegant.

L. 101. *a beau être visible :* ' may be ever so manifest.'

L. 104. *qu'on ne fasse avaler :* ' that we cannot *get* swallowed.' *en louanges* strengthens the expression—as if *in*— all over with—praises. The morality is questionable—but Valère is a lover.

L. 111. *que ne tâchez-vous :* ' why don't you try'—*ne* is here usual without *pas,* in the so-called *rhetorical* question.

L. 112. *s'avisât ;* tense as in *fussent,* l. 11 : ' in case she *should,*' etc.

L. 119. *jeter dans :* ' to bring him into '—' over to.'

The foregoing scene is admirable. In its vivacity and keen satire, its mingled tenderness and delicacy, and its skilful introduction to the action, even Molière is here at his best. The sympathies of the reader are already fully enlisted.

SCENE II.

L. 126. *m'ouvrir à vous d'un secret :* ' to disclose to you a secret.' The construction—now inadmissible—was formerly frequent in similar forms, as in Le Cid, ôtez-moi d'un doute, etc. See l. 1184.

L. 133. *avant que d'aller* is an old form. Present usage requires *avant de* with infinitive ; *avant que* with subjunctive. The two are here combined, by a grammatical pleonasm. The form is frequent in the older writers.

L. 137. *le jour*, as frequently in sense of 'life.' *conduite*: 'guidance.'

L. 142. *qu'il en faut :* 'that we ought rather to trust,' etc. *en*, as in many idioms, expresses a general reference to the subject matter, which can hardly be translated.

L. 149. *de ne me point*, for *de ne point me*, as frequently— see l. 154, etc.

L. 159. *appréhende* is here 'dread.' This is capital, after what has just passed, unknown to Cléante, and the reply of Élise is admirable. Excellent, too, is Cléante's protestation that he will hear no remonstrance !

L. 166. *me dites*, for *dites-moi*, as often after a preceding imperative.

L. 170. *donner—à :* 'inspire—in.'

L. 174. *de mère*—as we say : 'a good woman of a mother.'

L. 178. *Elle se prend — aux choses :* 'she goes about everything she does,' etc.

L. 188. *accommodées*—comfortable : 'not very well off'— is familiar. The following seems awkward. The sense is —Hardly can their discreet conduct make the little property which they may have, meet all their wants.

L. 191. *que de relever :* *que* is here pleonastic, as above, l. 133.

L. 195. *je sois :* 'I should be,' the mood determined by sense of *déplaisir*.

L. 205. *servira*—more regularly *servira-t-il :* 'Of what use will it be.'

L. 207. *le bel âge*, etc. : 'the right age to enjoy it.' *que* is here = *où*.

L. 208. *je m'engage :* 'go into debt.'

L. 212. *pour m'aider*, for *pour que vous m'aidiez*, as we may also say, familiarly : '.to speak to you to aid me.'

L. 219. *et qu'il faille*, the usual subjunctive with *que*, connecting with foregoing condition : 'and if,' etc.

L. 220. *là* is here emphatic ; as we say 'then and there.'

SCENE III.

L. 230. *détale*, literally expresses the removal of goods which have been displayed (*étaler*) : 'pack yourself off.' *on*, as frequently for *you*.

L. 231. *maître-juré*—the master or chief officer, *sworn*, in a guild, etc --here used adjectively—'you arch-thief.' *gibier de potence :* 'gallows-bird.'

L. 234. *sauf correction*—subject to correction—is ironical, i.e : 'for certain ;' *au corps*, for *dans le corps :* 'inside of him.'

L. 238. *à toi*—in you—'a pretty thing for you.' *à* is really *local* in meaning ; as below, l. 246, with the infin. *à observer*, *in*, or *at* observing.   Translate simply, ' observing '—different from *pour observer*.

L. 239. *que*—*ne* : ' lest,' as after verbs of fearing, etc.

L. 241. *Tu m'as fait*, etc., is without logical connection : ' What you have done to me is, that I want you to leave.'

L. 252. *Comment diantre*, etc. : ' How the deuce do you suppose it is possible for anybody to rob you ? '—is the sense.   *diantre* euphemism for *diable*.

L. 256. *ce que bon*, etc., familiar ; impersonal idiom.

L. 257. *ne voilà pas*, etc., ' are you not one of, etc.,' *voilà*, treated as verb. *prennent garde à :* ' keep watch on.'

L. 261. *homme à faire*, etc., idiom, as in English : ' a man to circulate the report.'

L. 270. *baillerai*—*par les oreilles :* ' I'll pay you for—on your ears '—'with a box on the ear.'   *bailler* is a legal term.

L. 278. *les autres.*   This absurdity is borrowed from Plautus, where the miser, in a similar scene, says, ostende etiam tertiam (manum).

L. 283. *le bas des hauts-de-chausses* is the lower part, or legs, of the knee breeches of that day, now cut very large. Molière often ridicules the prevailing fashions in dress.

L. 286. *en*—on account of them—i.e., ' for wearing them.'

L. 292. *fouilliez*, subjunctive : ' to search ' — ' that you may search.'

L. 295. *La peste soit*—' Plague upon.'—'plague take.'

L. 309. *de ce qu'il faut*—' of what I ought to '—that is : ' about my own business.'

L. 313. *à mon bonnet*—that is : ' to myself.' *parler à la barrette* means, to give a blow on the head ; *barrette* is the ornamented bar on the front of the cap—especially the cardinal's cap.

L. 320. *Qui se sent*, etc., expresses, very coarsely : ' Whom the cap fits, let him wear it ; ' or, in higher phrase, ' let the galled jade wince.'

L. 326. *sans te fouiller*, more regularly, *sans que je te fouille :* ' without my searching you.' See l. 212. This absurd appeal is taken from Plautus, whose miser says, in the same circumstances, Jam scutari mitto, redde huc—Now I stop searching ; give it here.

L. 334. *sur ta conscience*, etc., is very rich, after what has passed.

SCENE IV.

L. 335. *Pendard de valet* — 'scoundrel of a valet,' as above, 174. So in Latin scelus viri, monstrum mulieris, etc. We may render *chien de boiteux*, 'limping dog.' The expression has reference to Béjart, the actor in M.'s company for whom this part was written, who was lame. Similar references occur elsewhere, in M.'s plays, to the personal characteristics of the members of his company—as to himself in this play, Act II., Scene VI.

L. 344. *une franche amorce :* ' a mere bait.'

SCENE V.

L. 364. *Si fait*, familiar and emphatic : ' Yes, you did.' *Si* is different from *oui*, in that it not only affirms, but implies contradiction to a real or assumed statement or denial. See l. 531.

L. 367. *C'est que :* ' The fact is '—' that I was talking to myself,' etc.

L. 371. *feignions à :* ' hesitated to '—now obsolete.

L. 379. *prendre--de travers :* ' take — wrong '—' misunderstood.'

L. 387. *misérable :* ' that the times are *hard*.'

L. 402. *cousu*—as we say ' *lined* with money.' Note repetition of *me*, in different positions. See Note, l. 683.

L. 405. *équipage* here means *dress*, as the context shows.

L. 407. *Voilà* points to the suit C. is now wearing : ' There is what,' etc.

L. 409. *de quoi*, etc. : ' enough to make a good outfit.' See l. 50. The term *constitution* is still used in legal phrase.

L. 411. *donnez—dans :* ' affect the marquis.' See note, l. 97, above.

L. 416. *que vous portez*—which you wear, i.e., ' which your dress indicates.'

L. 421. *à honnête intérêt*. What H. regards as ' honest interest ' will be seen a few lines below, and will appear more fully hereafter.

L. 426. *rubans—aiguillettes*—were then worn to excess. *aiguillettes* were ornamental tags, used for fastening clothes.

L. 429. *de son crû :* ' of one's own growth' (*croître*).

L. 433. *au denier douze*—to the denier (interest) twelve (principal)—that is, only at $8\frac{1}{3}$ per cent.—nearly double the legal interest (then 5 per cent.). The denier was an old French coin, worth $\frac{1}{12}$ of a sou.

L. 453. *de la façon que :* ' in the way that.'

L. 460. *par un bout :* ' at one end '—that is, one at a time.

L. 473. *mériterait assez,* etc. : ' would be well worth thinking of.'

L. 480. *avec elle*—that is, as a bride ; *y,* ll. 486, 493, has the same reference.

L. 482. *considérable :* ' to be considered,' ' worth considering.'

L. 487. *regagner :* ' to make up '—' on something else.'

SCENE VI.

L. 504. *Voilà de :* ' there is one of,' as l. 257. *damoiseau* (fem. damoiselle—demoiselle, Lat. dominicellus) properly a youth not yet knighted—here, for an effeminate fop. —*flouet* (dimin. of flou) : ' mincing.'—*non plus,* rare, for *pas plus.*

L. 516. *ma mie :* ' my love '—from the old form *m'amie,* now *mon amie.*

L. 526. *dès ce soir :* ' this very evening.'

L. 539. *de la sorte,* idiom : ' in *that* style."

L. 550. *j'en passerai—par :* ' I will submit to.' *Voilà— fait :* ' Agreed ! '

SCENE VII.

L. 553. *de moi,* etc., is idiomatic : ' I or my daughter.'

L. 557. *toute raison*—all reason—' always right '—is not grammatical, as *tout* is here properly adverbial. But the like uses of *toute, toutes,* with adjectives (elle est toute triste, etc.) is equally illogical. See l. 1094.

L. 559. *au nez*—' to my face '—*se moque :* ' laughs at ' (the idea of).

L. 566. *ne pouvez pas que*—' cannot but be '—' cannot help being,' etc.

L. 572. *mieux rencontrer :* ' do better'—' meet with a better chance.'

L. 577. *vite aux cheveux :* ' by the forelock.'

L. 590. *qu'il y va :* ' that it is a question '—of, etc., idiom.

L. 604. *là-contre,* for *contre cela ;* see l. 108, and compare various similar uses, already, of *où* as relative pronoun. For *diantre* see l. 252.

Ce n'est pas : ' Not (I do not say) that there are not,' etc.

L. 606. *que l'argent* connects with aimeraient mieux : ' than (to have) the money'—referring to the *dot.*

L. 614. *Le moyen,* elliptical : ' How resist,' etc. ?

L. 617. *qu'on en voudrait :* ' that somebody might have a design upon,' etc.

The inimitable *sans dot* of this scene is imitated from Plautus, but with great improvement on the original.

SCENE VIII.

L. 622. *En venir à bout* (as below, *à vos fins*)—to reach an end—' succeed.'

L. 623. *Heurter de front :* ' to attack openly,' is of the same figure as *en biaisant*—as we say : ' by flanking.' The following expressions, *rétifs, cabrer, roidissent,* etc., are of a baulking horse.

L. 634. *trouver,* elliptical infin., frequent in exclamation or question, as l. 614.

L. 640. *Y :* ' about it.' *quel mal,* for *quelque mal que :* ' whatever disease.' Physicians were always favorite game for Molière's ridicule.

SCENE IX.

L. 646. VALÈRE continues without interruption. *mettre à couvert :* ' furnish a refuge.'

L. 649. *comme,* as frequently, in the sense of *comment.*

s'y rencontre—' is found in him.' *y* as ll. 486, 493 ; i.e., *au mari.*

L. 653. *Voilà,* etc. : ' that's well spoken.'

L. 659. *tu as beau faire*—idiom : ' you may do as you will.' See l. 101.

L. 662. *Après cela,* etc. : that is, if you dare.

SCENE X.

L. 666. *la bride haute :* ' to keep a tight rein upon her.'

L. 675. *ce que c'est que de*—*que* pleonastic, as heretofore, l. 191, and in many idioms.

L. 678. *tient lieu :* ' takes the place of.'

voilà parler : ' That's talking,' etc. Editions vary between *parler* and *parlé,* both here and l. 653, with slight difference in meaning.

ACT II., SCENE I.

L. 683. *allé fourrer :* ' been hiding yourself.' Note position of pronoun object, as heretofore. It is clear that, in such cases, the governing verb had sunk to the position of a mere auxiliary.

L. 695. *de quoi diable :* ' what the devil is he thinking of.' See l. 252.

L. 708. *fesse-matthieu.* The origin of this term is doubtful—said to have reference to St. Matthew who was a publican, and sat ' at the receipt of customs.' Here a vulgar name for usurers : ' skinflints.'

L. 710. *maître,* a technical term in law, yet often usurped, or applied in jest, like similar titles in English, ' squire,' etc.

L. 712. *fait rage ;* idiom : ' worked like mad '—' done wonders.'

L. 719. *cela ne va pas :* ' these things are not done in that way.'

L. 724. *maison empruntée*—a borrowed house—i.e., so that the affair may be conducted with due secrecy on both sides.

L. 729. *le bien*—which belongs to C. in his own right.

L. 738. *qu'il se pourra :* ' that can be found.' *pour cet effet :* ' for this intent.'

L. 744. *au denier dix-huit,* as above, l. 433 ; here about $5\frac{1}{2}$ per cent.—that is to say, at about the legal rate of interest.

L. 751. *sur le pied de :* ' at the rate of 20 per cent.' *que* here stands for *comme,* preceding : ' and as.' See l. 219.

L. 759. *vous avez à voir*—you have to see to that—' that is for you to see to.'

L. 765. The *franc* and the *livre* are equivalent terms=3 *écus.* Note the studied legal phraseology of the " mémoire."

L. 775. *à bandes :* ' with bands of Hungary point-lace.'

L. 777. *courte-pointe :* ' coverlid of the same' (material).

L. 778. *changeant,* etc. :' mixed red and blue.'

L. 780. *pavillon à queue :* ' bed-tester'—for hanging curtains. *rose sèche* is the color ' ashes-of-roses.'

L. 785. *tenture de tapisserie :* ' a pattern of tapestry,' representing, etc. The ' loves of Gombaud and Macée' seem to be unknown. Such representations are still to be seen on the walls of some of our old-time houses.

L. 788. *se tire :* ' draws out at each end.'—*escabelles :* ' footstools.'

L. 793. fourchettes assortissantes—' the rests correspond-ing.' The old heavy muskets were furnished with a *forked* rest, one end of which was fastened into the ground. It will be observed that the articles here enumerated, though use-less and cumbersome, are costly.

L. 799. luth de Bologne—These were the most costly. *où peu s'en faut :* ' or very nearly.'

L. 801. trou-madame : name of a game, for ladies espe-cially, in which a ball was made to roll into little holes. Something similar was the ' jeu de l'oie : ' ' game of goose.'

L. 802. renouvelé des Grecs is by way of irony, these games being especially stupid.

L. 803. l'on n'a que faire : ' when one has nothing to do.'

L. 807. ci-dessus : ' herein above,' etc., as in legal phrase.

L. 815. de tout cela : I shall not get—' for all that.'

L. 820. ne vous en déplaise : ' not to displease you '—' per-mit me to say.'

le grand chemin : ' the high road.' Panurge is a charac-ter in the ' Pantagruel' of Rabelais, from which these words are almost exactly quoted.

L. 824. son blé en herbe, as we say, ' one's seed-corn.'

L. 830. le plus posé homme, humorously, for l'homme le plus posé.

L. 831. patibulaires—no very patibulary inclinations—af-fectedly ironical for ' not much taste for being hanged.'

L. 834. mon epingle du jeu : ' my finger out of the pie.'

L. 835. qui sentent, etc., ' which smack ever so little of the gallows.' *l'échelle,* the ladder that leads to the scaffold. —*galanteries :* ' scrapes.'

L. 838. croirais—faire : ' should think I was doing.' We shall see the outcome of this sentiment hereafter (Act IV., Scene VI.).

SCENE II.

L. 843. en passera. See 550.

L. 854. La charité, etc. A fine stroke of satire, aimed, unconsciously, at himself.

L. 858. veut dire : 'means.' *qui parle :* ' talking.' Note, l. 2235.

L. 860. serais-tu pour—for betraying me—' can you mean to betray me ? '

L. 863. pressés : ' very much in a hurry.' Simon sup-poses they are here to meet him, in violation of the appoint-ment, l. 724.

SCENE III.

L. 882. *d'en venir à:* ' to resort to.' Note use of *tu* and *vous* respectively.

L. 889. *et de renchérir,* connects with *de sacrifier,* etc. *en fait d'intérêt:* ' in the matter of interest,' referring to the *mémoire* above quoted. Such reproaches, from his own son, belong to the miser's punishment. His insensibility (je ne suis pas faché, etc.) is still worse.

L. 895. *dont il n'a que faire :* ' that he has no need of.' See l. 100. Note the repetition of *ou.*

L. 896. *échauffe—les oreilles*—that is, by your *talk :* ' don't talk me into a passion.'

SCENE IV.

L. 902. *à propos :* ' time for me to take a little turn after my money.'

SCENE V.

L. 906. *reconnu*—that is, as belonging to him.

L. 914. *du mieux qu' :* ' the best I can.' Compare *de,* l. 49.

L. 925. *touchent,* as we say, *touch the quick :* ' tell.'

L. 930. *serré :* ' close.'

L. 934. *tant,* more regularly, *autant.*

L. 935. *point d'affaires :* ' there's nothing to be done '— ' it's no use.' *Sec,* compare *sécheresse,* l. 204.

L. 937. *pour qui,* more properly *pour lequel.* Many of the distinctions of modern grammar were not yet established —still less in the language of comedy. The student will note examples.

L. 939. *de traire :* ' of coaxing.' The original is purposely coarse.

L. 941. *par où,* like *par là,* l. 108 : ' their tender spots.' See Note, l. 604.

L. 945. *à désespérer*—such as—' to drive everybody to despair.'—*à,* as heretofore, l. 261.

L. 947. *l'on pourrait,* etc. ' You might burst, and he would not move.' Note the use of *que.*

SCENE VI.

L. 959. *Tout de bon :* Really? H. quickly justifies F.'s boast, l. 939, etc. ; but how far—we shall see ; *vous,* l. 958, is the ' ethical dative '—saw in you—' saw you with,' etc.

L. 965. *Voilà bien de quoi*—ironical—'that's a pretty matter!' See l. 50.

L. 970. *d'une pâte* (paste) : ' of a stuff'—vulgar expression.

L. 974. *Tenez-vous :* 'hold still'—that she may examine. *que voilà bien.* See l. 407. ' How perfectly plain.' For *que*, see l. 40.

L. 987. *Tant mieux* implies, ' I'll be glad to get rid of them.'

L. 994. *Turc — Venise,* mark extreme opposites. The phrase is from Rabelais.

L. 997. *chez elles* refers to persons understood between the two.

L. 998. *Ai . . . entretenues :* the arrangement of words is unusual.

L. 1000. *à la voir :* ' at seeing her ; ' differs from *en la voyant* in expressing momentary action, or occasion, simply. See Note, l. 238.

L. 1002. *Qui a fait* is relative—' who replied,' referring to *la mère.*

L. 1006. *de la vôtre,* i.e., *votre fille ; l'a confiée,* i.e., *sa fille.*

L. 1008. *donner à souper :* ' give a supper to '—on occasion of the contract. So, he would kill two birds with one stone. For *c'est que,* see l. 367.

L. 1012. *d'où*—whence—' after which—she calculates (?) to,' etc.

L. 1017. *son affaire :* ' That will suit her exactly.'

L. 1020. *s'aidât :* ' should exert herself.' H.'s rhetoric is inimitable.

L. 1028. *une grande épargne de bouche :* ' on very short rations.'

L. 1033. *ne va pas*—does not go for—i.e. : ' cost '—' so little that,' etc.

L. 1038. *où donnent.* Compare donner dans, l. 97 : ' indulge in,' ' *are given to.*'

L. 1043. *de nos quartiers*—' in our neighborhood.' *Trente et quarante*—a game at cards.

L. 1044. *rien* is here pleonastic. Compare l. 71.

L. 1048. *ne voilà-t-il pas.* Compare l. 257, Note.

L. 1083. *que vous êtes*—ne is here excluded by the preceding negative. Compare l. 1095.

L. 1084. *tout au moins :* ' at the very least.'

L. 1087. *sur ce que :* ' upon her lover's showing,' etc., i.e., when he came to sign the contract. H., of course, wears spectacles.

L. 1098. *ce soit :* 'they are.' Compare l. 31, Note ; and below, l. 1115. For *lui,* l. 1096, see *vous,* l. 958.

L. 1106. *Voilà*, etc. ' A pretty dose young men are, to love! Pretty brats, pretty coxcombs, to make anybody want to fall in love with them!'

L. 1108. *quel ragoût:* ' what charm.' F. is more realistic than æsthetic ; we are compelled to ' polish her language.'

L. 1114. *fieffée*—by right of feof—' a born fool.'

L. 1115. *Sont-ce*, etc. ' Are they men, these young fops?' Blond was then ' the rage.'

L. 1119. *ton de poule laitée :* ' with their squeaking voice.' *poule laitée* is good!

L. 1120. *relevés*—' sticking off like a cat's whiskers.'

L. 1122. *tombants :* ' loose.'   *estomacs :* ' fronts.'   H. rudely satirizes the fashions of the day.

L. 1123. *bien bâti :* ' that's a pretty figure in comparison with,' etc.

L. 1124. *Voilà*, etc. : ' *You* are a man! There's some satisfaction in looking at you!'

L. 1128. *à ravir—à peindre* The prep. has here different senses, first active, second passive : ' You are enough to charm anybody, and your face is fit to be painted.'

L. 1131. *taillé*, etc., flatters H.'s excessive leanness.

L. 1133. *ma fluxion :* ' catarrh ' — *avez grâce :* ' you cough so gracefully.' Molière, who acted the character of H., here alludes to his own malady. See Note, l. 335.

L. 1138. *pris garde :* ' noticed me.' Frosine seems on the point of success! That M. has *not yet* noticed him, magnifies her own influence in reserve.

L. 1146. *Jaurais*—the conditional softens the request : ' I should like to.'

L. 1154. *fraise à l'antique :* ' Your old-fashioned ruff.' The ' Spanish ruff ' was now out of fashion.

L. 1156. *haut-de-chausses—aiguillettes.* See ll. 283, 426. On the modern stage, such expressions are adjusted to later fashions.

L. 1173. *remettra sur pied :* ' will put me on my feet again.'

L. 1182. *pour—malades.* Does he mean, from eating too much?

L. 1184. *dont — sollicite* would not now be admissible. Other like expressions occur at this period. See note, l. 126.

L. 1187. *Jusqu'à tantôt :* ' By-bye'—' I'll see you later.'

L. 1191. *l'autre côté—d'où* ' the other side,' hints at some other intrigue that F. has on hand.

ACT III., SCENE I.

L. 1194. *pour tantôt,* refers to the approaching supper ; *les armes à la main,* to the broom.   H. is fond of his joke.

L. 1199. *prenez garde de :* ' take care *not* to,' i.e., *from—.*

L. 1202. *je m'en prendrai :* ' I shall hold you responsible.'

SCENE II.

L. 1211. *les faire aviser :* ' make them think of drinking.' *aviser* is here unusual for *s'aviser ;* see l. 1235.

L. 1213. *vous ressouvenez,* for *res. vous,* as heretofore, l. 166.

L. 1215. *Quitterons-nous :* ' shall we put off.'   *Souque-nilles :* ' smocks '—' working coats.'

L. 1222. *qu'on me voit :* ' people can see my—— ' *me,* as l. 401, etc. ; but the precise reference is concealed beneath La M.'s modesty.

révérence parler : ' to speak with reverence '—is here the height of the ridiculous.

It will be observed that Harpagon's servants, though numerous enough as his station requires, only serve, by their character and condition, to exhibit his meanness.   Observe, also, that Brindavoine and La Merluche are nicknames, and characteristic enough.

SCENE III.

L. 1229. *desservira :* ' what is left '—i.e., removed after eating.   *aucun dégât—*' no waste '—among the servants. Note, in l. 1232, the position of *vous,* before the two verbs *doit venir,* though depending on *visiter,* and compare Note, l. 683.

SCENE IV.

L. 1236. *Ne vous allez pas aviser,* for *n'allez pas vous aviser,* as above noted : ' don't you go and dare to be rude to her.'   With *mauvais visage* compare *bon visage,* below, l. 1245.

L. 1246. *tout le meilleur—*' the *very* best.'   See l. 1084. *régaler* is here used wittily.

L. 1250. *pour ce qui est :* ' but as to receiving her kindly.' The assurance with which H. here pardons C., forgetting his own shameful exposure in the scene referred to, is highly amusing. He has plenty of good sense and a keen wit of his own, as well as assurance. Had he been made altogether despicable, the character would have ceased to be comic.

SCENE V.

L. 1258. *à ceci* refers to foregoing, as H. does not fully trust C.

L. 1261. *l'un et l'autre.* Coachman and cook in one person, is a mark of H.'s stinginess. He *must*, we may suppose, keep a carriage, but——! The satire is sharpened by the title *Maître* Jacques.

L. 1275. *rien autre chose:* 'nothing else besides' is a strong pleonism. See l. 1044.

L. 1278. *épée de chevet*—a sword kept under one's pillow, always at hand : 'their hobby.'

L. 1282. *il n'y a,* etc. Note omission of *pas:* 'There is no such fool as could not do that.' Note also subjunctive idiom.

L. 1290. *aussi bien :* 'moreover.' *vous mêlez-vous*—you are meddling—trying to be, etc. Note also the order of words.

L. 1302. *assiettes :* 'courses.'

L. 1303. *voilà pour :* 'That's enough to.'

L. 1311. *à force de mangeaille :* 'by stuffing them to death.'

L. 1317. *coupe-gorge* (from *couper la gorge*) : 'a cut-throat affair.'

L. 1320. *le dire,* as noun : 'the saying'—"Ede ut vivas, ne vivas ut edas."

L. 1341. *haricot.* 'Some good rich stew.' *pâté en pot :* 'pot-pie' (provincial ?).

L. 1353. *sur la litière :* 'to be on the straw (litter)'—meaning to be sick—is here a *double entendre.* For *mal parler,* see l. 680 : 'would be telling a lie.'

L. 1358. *Les voilà*—ironical—'They must be very sick !' *Pour ne faire :* 'because they do nothing.' They do nothing because H. is too stingy to use them.

L. 1368. *de son prochain* expresses well M. J.'s fellow feeling for his horses.

L. 1372. *ferais conscience*—'I should be ashamed'—'have it on my conscience.'

L. 1375. *obligerai :* 'engage.' *nous fera-t-il besoin :* 'we shall need him.'

L. 1381. *le raisonnable* is ironical—'pretends to be very

considerate '—to which the answer : ' playing the indispen-
sable '—i.e., trying to make himself so. See l. 1290.

L. 1385. *ce qu'il en fait :* ' what he is after '—is doing.

L. 1390. *en dépit que j'en aie :* ' in spite of myself'
après mes chevaux—*la personne*—is good.

L. 1405. *à votre sujet :* ' about you.'

L. 1406. *plus ravi,* etc. : ' delight in nothing more than
to hold you up to ridicule.' Such expressions were more
allowable in Molière's day than now.

L. 1409. *quatre-temps.* ' Ember-days '—fasts appointed
four times a year by the Roman Catholic Church ; *vigiles :*
' holy eves ' of fasting, preceding the Church festivals.

L. 1410. *votre monde :* ' your people,' i.e., servants.

L. 1412. *étrennes.* ' New Year's gifts.' *sortie d'avec :*
' leaving your service.'

L. 1417. *en venant,* unusual ; more regularly *à venir :*
' in coming.' The form with *en* is usually limited to the
subject. But see Note, l. 937.

L. 1423. *accommoder de toutes pièces :* ' catch it on every
side.' In such phrases literal translation is impossible. We
only seek to suggest equivalent idioms.

SCENE VI.

L. 1435. *morbleu* is euphemism for mort-de-Dieu. *nouveau venu :* ' upstart.'

L. 1441. *file doux*—draws it mild—' is backing down.'

L. 1444. *m'échauffer :* ' get my dander up.' See l. 896.

L. 1452. *pour un double* is explained with reference to a
petty coin, the *double denier,* one-sixth of a sou ; that is,
' not in the least ;' as in vulgar phrase, ' not worth a cent.'

L. 1453. *d'importance :* ' soundly.'

L. 1459. *pour tout potage :* ' at best.' A vulgar phrase,
suggestive of M. J.'s occupation.

L. 1471. *Passe encore :* ' well enough '—for, etc. As we
say, ' that may pass.' We shall see the result of M. J.'s
threat.

SCENE VIII.

L. 1478. *que,* as l. 40 : ' in what a strange state.'

L. 1484. *supplice* is here ' the rack,' to which criminals
were tied—*pour mourir* plays upon this sense.

L. 1494. *quel,* for *qui il est.*

L. 1502. *débitent leur fait,* from the display of goods—
' show off very well.'

L. 1507. *dégoûts :* ' some little disagreeables to put up with.' Compare *ragoût*, l. 1108.

L. 1517. *ce—là*, same as *cela doit*, etc.

SCENE IX.

L. 1525. Note play of words on *lunettes*, as ' spectacles ' and ' telescopes.' We may imitate by using the word ' glasses,' in like double sense.

SCENE X.

L. 1539. *grande*—' tall '—' but ill weeds grow apace.'

L. 1549. *Je n'y puis*, etc. : ' I can stand it no longer.'

SCENE XI.

L. 1554. *de me voir :* ' to see that I have '—' me with '— *me* as l. 958, 1096. *défait:* ' rid of '—by their intended marriage.

L. 1557. *où* for *à laquelle*, depending on *m'attendais :* ' what I did not expect.'

L. 1568. *où vous pourriez être :* ' which you may have.'

L. 1584. *égales*, that is, between you and me. *si vous auriez*, is unusual, a softened and polite form for *si vous avez*.

L. 1594. *de même*, see l. 1362. H. suspects nothing—the language of both has been carefully veiled.

L. 1600. *de m'expliquer :* ' by explaining to me '—unusual, for *en expliquant*. See l. 1749.

L. 1611. *avez-vous envie :* ' will you please to.' *trahisse:* ' belie.'

L. 1621. *C'est où :* ' It is to this that,' etc.

L. 1630. *de ce pas :* ' at once.'

SCENE XII.

L. 1641. *de votre part :* ' for you '—of course at his expense.

L. 1653. *jette—feux:* ' sparkles beautifully.'

L. 1661. *Belle demande :* ' A pretty request '—referring to what C. pretends to have heard H. say.

L. 1664. *n'a garde :* ' does not think of '—' has no idea of.'

L. 1667. *c'est l'offenser :* ' You are offending him '—which
H.'s manner corroborates.

L. 1671. *Le voilà qui :* ' See how he is,' etc.

L. 1684. *Que de façons :* ' what a fuss !' *Monsieur* means
Harpagon.

SCENE XIII.

L. 1691. *empêché :* ' engaged,' ' busy.'

SCENE XIV.

L. 1700. *Cela,* refers to the fall. H. is rubbing himself.

SCENE XV.

L. 1713. *C'est assez :* ' All right.'

———

ACT IV., SCENE I.

L. 1720. *traverses*—as we say : ' crosses '—here subject
of verb ; *que,* object.

L. 1737. *puis-je—que,* as if *je ne puis—que,* the question
implying a negative.

L. 1749. *que de me renvoyer* in the sense of *en me ren-
voyant :* ' in confining me to what will be allowed by,' etc.
que pleonastic. See l. 1600.

L. 1761. *la licence :* ' *full* liberty.' *s'il ne tient qu'à :* ' if
it only depends on.'

L. 1769. *tendresse à*—' fondness for :' ' am only too fond
of.'

L. 1781. *Mais le mal que j'y trouve :* ' But the trouble of
it is.'

L. 1784. *Je veux dire,* etc. : ' I mean that he will bear a
grudge.'

L. 1788. *vînt . . . et tacher.* With change of subject, the
construction passes back from subjunctive to infinitive :
' and *you* must try.'

L. 1794. *sur l'âge :* ' a little *on* in age.'

L. 1798. *de la basse Bretagne*—hence, a stranger, render-
ing the deception easier. It has been observed, as a defect
of construction in this play, that the artifice here promised
is not realized. The lady ' de la basse Bretagne ' nowhere
appears, nor Frosine again, and the piece finds another
dénouement.

L. 1800. *riche—de :* ' worth.' *comptant :* ' cash.'

L. 1804. *qu'il ne prêtât :* 'that he would lend'—*ne* idiomatic.

L. 1808. *à ce—touche :* 'so far as you are concerned,' i.e., to giving you up.

L. 1809. *aux effets :* 'as to the property of.'

L. 1813. *notre fait :* 'who will suit us exactly.' See l. 1017.

L. 1817. *C'est toujours,* etc. : 'It is at any rate a great thing to,' etc.

L. 1818. *y* refers to *rompre,* etc.: 'towards it.'

L. 1826. *à qui*—unusual—for *auxquelles.* See l. 937, Note.

SCENE II.

L. 1831. *prétendue,* as adj.: 'intended.' *fort,* ironical : not very much, for 'not at all.'

SCENE III.

L. 1841. *intérêt . . . à part :* 'apart from the question' of —

L. 1853. *belle-mère,* etc.   As in English—'step-mother for step-mother.'

L. 1858. *Si bien donc que :* 'So, then.'

L. 1864. *trouver à redire :* 'find something to blame'— 'some objection.' See l. 542. *de me voir marier,* for *de me voir me marier.* See l. 1236, etc.

L. 1867. *fait demander,* i.e., *à sa mère:* 'proposed for her.' *sans :* 'but for.'

L. 1886. *où je n'ai garde.* See l. 1664, and note omission of *pas.*

L. 1888. *à la bonne heure :* 'all right.'

L. 1902. *pour le temps,* etc.: 'Pretty often for the time I have had.'   Note that H. here passes from *tu* to *vous.*

L. 1907. *où vous etiez.* See l. 1568.

L. 1913. *en sont venues là :* 'have come to that.'

L. 1916. *ne m'abandonne* is subjunctive : 'to which I will not go.'

L. 1921. *brisées,* are broken boughs, strewn in hunting, to mark the track of the deer : 'to hunt my game'—'poach on my preserves.'

SCENE IV.

L. 1941. *démordrai*—to let go from biting : 'I will not give up.'

L. 1943. *laissez-moi faire* : ' let me alone '—to M. J., who interferes.   For *encore passe*, etc., see l. 1471.

L. 1954. *de toucher à*—from interfering—coming *into contact*—with.

L. 1959. *qui ce soit*—' who it is '—that acts as judge.

L. 1975. *se met à :* ' submits to.'   Note idiomatic *le*, in *que vous le dites*.

L. 1989. *n'en veut seulement que :* ' is offended only at.' The pleonasm has been already noted.   Its frequent recurrence is true to the style of familiar conversation in comedy.

L. 1992. *vous y prendre.*   See l. 178.

L. 2000. *Voilà qui va*, in sense of *ce qui :* ' That suits the best in the world.'   Note, in this play, the many idiomatic uses of voilà.

L. 2005. *faute de :* ' for want of understanding each other '—reciprocal use of reflexive.   Of course neither has heard what the other has said to M. J.

L. 2008. *Il n'y a pas de quoi :* ' Not at all '—' No reason for it.'   See l. 965.   *mon pauvre*, l. 2006, as l. 1764, is a familiar term of endearment.

SCENE V.

L. 2025. *ne garder*, absolute infin., as l. 634, etc.

L. 2028. *où tu te ranges :* ' to which you pledge yourself.'

L. 2044. *y renoncer*, in sense of *ren. à elle.*   For use of *y*, see l. 486, etc.

L. 2048. *départi d'y prétendre :* ' surrendered all claim to her.'   *y* is here in *y renoncer*, above.   In the following *j'y suis porté* it refers to *prétendre :* ' I am more bent on having her,' as l. 1818.

L. 2052. *Laisse-moi faire.*   H. makes at him ; C. prevents him.

L. 2054. *de me jamais voir*, for *de jamais me voir*, as l. 149, etc.

SCENE VI.

L. 2067. *nous sommes bien*—' we are all right '—' in luck.'

L. 2069. *votre affaire :* ' the thing for you.'   See l. 1017.

L. 2071. *j'ai guigné :* ' I've been spying for '—' have had an eye on.'

SCENE VII.

This scene is imitated from Plautus, but as usual, even with Molière's closest imitations, is much improved.

L. 2077. *Au voleur.*   ' Thief ! '   Note the idiom.

L. 2080. *Qu'est il devenu?*' 'What has become of him'— the thief.

L. 2085. *Ah! c'est moi!* He seizes the imaginary thief. This goes beyond comedy.

L. 2093. *C'en est fait; je n'en puis plus.* 'It is all over —I am undone'—can no more. Note the many idiomatic uses of *en*, and compare l. 1549.

L. 2096. *personne*—that is, nobody who can do that.

L. 2100. *la question*—the inquisition—the rack, to enforce testimony : ' have put to the rack.'

L. 2103. *Que de gens assemblés:* 'what a crowd of peo-ple !''

L. 2113. *des gênes:* 'tortures.' This scene is certainly exaggerated, but not beyond the effect which the author has in view.

ACT V., SCENE I.

L. 2118. *Ce n'est pas d'aujourd'hui:* ' To-day is not the first time.'

L. 2123. *justice de la justice,* 'justice against justice,' i.e., for its inefficiency.

L. 2134. *bien trébuchantes:* ' down weight,' as if H. had been in the habit of weighing each coin.

L. 2141. *deniers* (see l. 433) stands, in plural, for any sum of money.

SCENE II.

L. 2142. *je m'en vais*, in the sense of *je vais*, as often in familiar style.

L. 2143. *qu'on me lui fasse griller.* Here are two indirect objects—the first, the so-called ethical dative, ' for me,' though often not translated ; the second—of same origin— translated possessive : ' his feet.'

L. 2148. *me vient d'envoyer*, as before, for *vient de m'en-voyer.*

L. 2154. *dans la douceur:* ' quietly.' *de votre souper:* ' is to supper with you.' *rongé—avec les ciseaux :* a confu-sion of metaphor which M. J. doubtless intends for fine speech.

L. 2179. *il n'est pas* in sense of *il ne se peut pas.*

L. 2184. *Qu'as tu à ruminer:* unusual : 'what are you muttering ? '

L. 2208. *Je lui ai vu:* 'I have seen him with.' See l. 1554.

L. 2219. *prendre par là :* 'if you take it so'—i.e., comparatively.

L. 2235. *qui revient:* 'Here he comes.' See l. 1671. This form is very common where the adj. clause refers to the object.

SCENE III.

L. 2253. *aurais-je*—'could I have'—'is it possible that,' etc., as frequently.

L. 2269. *mon sang, mes entrailles,* by which H. expresses his love for his money. V., of course, understands as of his daughter.

L. 2272. *d'une condition :* 'of a rank'—condition in life ; *à,* as heretofore.

L. 2290. *celui,* i.e., *de vos biens.*

L. 2291. *non ferai*—vulgar—'that I won't'—*de par* stronger than *par.*

L. 2301. *Qu'est-ce à dire, cela ?* 'what does this mean?'

L. 2309. *endiablé* (possessed with a devil) : 'you are devilishly anxious for.'

L. 2316. *j'y donnerai bon ordre:* 'I'll take good care about that.'

L. 2326. *ravoir—et que,* change of person and mood. See l. 1788. Here the order is reversed.

L. 2347. *Dame,* as old English, Mistress. Compare *Maître* Jacques.

L. 2356. *brouilles-tu*—mix us up with—'why do you mix my d. up with this matter ?' It must be confessed that the deception has been already pushed beyond all probability. This scene is founded on Plautus, though with important changes.

L. 2369. *Rengrégement* (reaggravation) *de mal:* 'worse and worse.'

L. 2371. *dressez-lui-moi.* For the double dative, see l. 2143; but here in different sense : 'prepare (for) me *against* him.' *dû* is here used in sense of *devoir,* as noun.

SCENE IV.

L. 2377. *prendre d'amour*—be smitten with love—'fall in love' with.

L. 2393. *aux premiers :* 'by the first impulses'—the construction is that of indirect object to *laissez entraîner.*

L. 2395. *de mieux voir :* 'to become better acquainted with.'

L. 2399. *il y a longtemps.* See Act I., Scene I., l. 53, etc.

L. 2404. *il valait :* ' it *had been* better '—a use of the impf. indic. in strong statement of an implied condition—for *aurait valu.* Similarly, *laissât* for *eût laissé :* ' that he *had let,*' etc.

SCENE V.

L. 2415. *au contrat.* See Act I., Scene VI.: ' *about* the contract.'

L. 2419. *s'est coulé :* ' has slipped in '—' insinuated himself.'

L. 2422. *galimatias :* ' such a fuss at me.'

L. 2425. *vous rendre partie :* ' become a party '—that is, at law. *à vos dépens* is well put.

L. 2429. *et de rien* would be, regularly, *ni de rien ;* as below, *et le supplice.*

L. 2440. *ce que,* ' what I am,' refers to his condition and rank.

L. 2442. *larrons de noblesse :* thieves of nobility—' pretended noblemen '—a form of imposture then common, and more than once satirized by Molière.

L. 2450. *Tout beau :* ' Softly '—' Be careful.'

L. 2460. *Don Martin* means, nor of anybody else.

L. 2470. *Songez à :* ' Mind what you say '—indignantly.

L. 2475. *prêt de,* now always *prêt à.*

L. 2482. *en,* i.e., de cette ville.

L. 2508. *n'imposez point :* ' are not an impostor.'

L. 2525. *une succession :* ' an inheritance.' *déchirée :* ' plundered.'

L. 2528. *presque—que :* emphatic pleonasm, as heretofore.

L. 2542. *à retourner :* ' in returning.' *y :* ' it,' viz., returning, as l. 1818.

L. 2545. *habitué :* ' settled.' *m'éloigner,* indirect : ' from myself.'

L. 2548. *prends à partie :* ' hold you responsible.'

SCENE VI.

L. 2570. *dont je réponds :* ' for which I answer '—am responsible.

L. 2588. *ne vous faites point dire :* ' do not wait to be told.'

L. 2591. *pour me donner conseil :* ' before I can make up my mind ;' the verb is reflexive.

L. 2603. *D'accord :* ' Agreed ! '

L. 2618. *à votre mère* is spoken to Valère.

COMPENDS AND HISTORIES OF LITERATURE.

(The Critical and Biographical portions as well as the
Selections are entirely in French.)

Alliot's Les Auteurs Contemporains. Selections from About, Claretie, Daudet, Dumas, Erckmann-Chatrian, Feuillet, Gambetta, Gautier, Guizot, Hugo, Sand, Sarcey, Taine, Verne, and others, with notes and brief biographies. 12mo. 371 pp. $1.20, *net.*

—— **Contes et Nouvelles.** Suivis de Conversations et d'Exercises de Grammaire. 12mo. 307 pp. $1.00, *net.*

Aubert's Littérature Française. Moyen-Age, Renaissance, Le XVIIᵉ Sicèle. Selections from Froissart, Rabelais, Montaigne, Calvin, Descartes, Corneille, Pascal Molière, La Fontaine, Boileau, Racine, Fénelon, La Brùyero, etc., etc. With foot-notes, biographies, and critical estimates. 16mo. 338 pp. $1.00, *net.*

Fortier's Histoire de la Littérature Française. A Compact and Comprehensive Account, up to the present day. 16mo. 362 pp. $1.00, *net.*

Pylodet's La Littérature Française Classique. Biographical and Critical. Langue d'Œil, Abailard, Héloïse. Fabliaux, Mystères, Joinville, Froissart, Villon, Rabelais, Montaigne. Ronsard, Richelieu, Corneille, etc. 12mo. 393 pp. $1.30, *net.*

—— **Théâtre Française Classique.** Taken from the above. 12mo. 114 pp. Paper. 20 c., *net.*

—— **La Littérature Française Contemporaine. XIXᵉ Siècle.** Prose or Verse from 100 authors, including About, Augier, Balzac, Béranger, Chateaubriand, Cherbuliez, Gautier, Hugo, Lamartine, Mérimée, De Musset, Sainte-Beuve, Sand, Sardou, Scribe, Mme. de Staël, Taine, Toepfer, De Vigny. With selected biographical and literary notices. 12mo. 310 pp. $1.10, *net.*

See also Choix de Contes under Texts.

DICTIONARIES.

Bellows' French and English Dictionary for the Pocket. 32mo. 600 pp. Roan tuck, $2.55, *net.* (Morocco, $3.10, *net.*)

—— *Cheaper Edition.* Larger print. 12mo. 600 pp. $1.00, *net.*

Gasc's New Dictionary of the French and English Languages. 8vo. French-English part, 600 pp. English-French part, 586 pp. One volume. $2.25, *net.*

Gasc's Improved Modern Pocket Dictionary. French-English part, 261 pp. English-French part, 387 pp. One volume. $1.00, *net.*

Postage 10 per cent additional. Descriptive Catalogue free.

3

TEXTS.

Achard's Clos Pommier. 206 pp. Paper. 25 c., *net.*

Æsop's Fables. In French, with Vocab. 237 pp. 50 c., *net.*

Balzac's Eugénie Grandet. (BERGERON.) With portrait. 300 pp. 80 c., *net.*

Bayard et Lemoine, Le Niaise de Saint-Flour. Modern Comedy. 38 pp. Paper. 20 c., *net.*

Bédollière's Mère Michel et son Chat. With vocabulary. 138 pp. Cl. 60 c., *net.* Paper. 30 c., *net.*

Bishop's Choy-Suzanne. A French version of his story edited by himself. 64 pp. Boards. 30 c., *net.*

Carraud's Les Goûters de la Grand'mère. With list of difficult phrases. 95 pp. Paper. 20 c., *net. See Ségur.*

Chateaubriand, Pages Oubliées de. (SANDERSON.) Aventures du dernier Abencérage and selections from Atala, Voyage en Amérique, etc. 90 pp. Boards. 35 c., *net.*

Choix de Contes Contemporains. (O'CONNOR.) Stories by Daudet (5), Coppée (3), About (3), Gautier (2), De Musset (1). 300 pp. Cl. $1.00, *net.* Paper. 52 c., *net.*

Clairville's Les Petites Miséres de la Vie Humaine. Modern comedy. 35 pp. Paper. 20 c., *net.*

Corneille's Le Cid. *New Ed.* (JOYNES.) 114 pp. Paper. 20 c., *net.*

—— **Cinna.** (JOYNES.) 87 pp. Paper. 20 c., *net.*

—— **Horace.** (DELBOS.) 78 pp. Paper. 20 c., *net.*

Du Deffand (Mme.). Eleven Letters. 75 c., *net. See Walter.*

Daudet, Contes de. Eighteen stories, including La Belle Nivernaise. (CAMERON.) With portrait. 321 pp. 80 c., *net.*

—— **La Belle Nivernaise.** (CAMERON.) 79 pp. Bds. 25 c., *net.*

Erckmann-Chatrian, Le Conscrit de 1813. (BÔCHER.) 236 pp. Cl. 90 c., *net.* Boards. 48 c., *net.*

—— **Le Blocus.** (BÔCHER.) 258 pp. Cl. 90 c., *net.* Paper. 48 c., *net.*

—— **Madame Thérèse.** (BÔCHER.) 216 pp. Cl. 90 c., *net.* Paper. 48 c., *net.*

Fallet's Princes de l'Art. 334 pp. $1.00, *net.* Paper. 52 c., *net.*

Feuillet's Roman d'un Jeune Homme Pauvre. Novel. (OWEN.) 204 pp. Cl. 90 c., *net.* Paper. 44 c., *net.*

—— **Roman d'un Jeune Homme Pauvre.** Play. (BÔCHER.) 100 pp. Boards. 20 c., *net.*

—— **Le Village.** Play. 34 pp. Paper. 20 c., *net.*

Féval's Chouans et Bleus. (SANKEY.) 188 pp. Cl. 80 c., *net.* Paper. 40 c., *net.*

Fleury's L'Histoire de France. For Children. 372 pp. $1.10, *net.*

Foa's Contes Biographiques. With vocabulary. 189 pp. Cl. 80 c., *net.* Paper. 40 c., *net.*

—— **Petit Robinson de Paris.** With vocabulary. 166 pp. Cl. 70 c., *net.* Paper. 36 c., *net.*

De Gaulle's Le Bracelet, bound with **Mme. De M.'s La Petite Maman.** Plays for Children. 38 pp. Paper. 20 c., *net.*

De Girardin's La Joie Fait Peur. Modern Play. (BÔCHER.) 46 pp. Paper. 20 c., *net.*

Postage 10 per cent additional. Descriptive Catalogue free.

TEXTS (*Continued*).

Halévy's L'Abbé Constantin. (SUPER.) With vocabulary. Boards. 40 c., *net.*

History. *See Fleury, Lacombe, Taine, Thiers.* The publishers issue a French History in English by Miss YONGE. (80 c., *net.*)

Hugo's Hernani. Tragedy. (HARPER.) 126 pp. 70 c., *net.*

—— **Ruy Blas.** Tragedy. (MICHAELS.) 117 pp. Bds. 40 c., *net.*

—— **Selections.** (WARREN.) Gringoire in the Court of Miracles, A Man Lost Overboard, Waterloo, Pursuit of Jean Valjean and Cosette, etc., and 14 Poems. With portrait. 244 pp. 70 c., *net.*

De Janon's Recueil de Poésies. 186 pp. 80 c., *net.*

Labiche (et Delacour), La Cagnotte. 83 pp. Paper. 20 c., *net.*

—— **(et Delacour), Les Petits Oiseaux.** Modern Comedy. (BÔCHER.) 70 pp. Paper. 20 c., *net.*

—— **(et Martin), La Poudre aux Yeux.** Modern Comedy. (BÔCHER.) 59 pp. Paper. 20 c., *net.*

Lacombe's Petite Histoire du Peuple Français. (BUÉ.) 212 pp. 60 c., *net.*

La Fontaine's Fables Choisies. (DELBOS.) Boards. 40 c., *net.*

Leclerq's Trois Proverbes. 3 Little Comedies. Paper. 20 c., *net.*

Literature, Compends and Histories of. *See separate heading.*

Macé's Bouchée de Pain. (L'HOMME.) With vocabulary. 260 pp. Cl. $1.00, *net.* Paper. 52 c., *net.*

De Maistre's Voyage Autour de ma Chambre. 117 pp. Paper. 28 c., *net.*

—— **Les Prisonniers du Caucase,** bound with **Achard's Clos Pommier.** 206 + 138 pp. 70 c., *net.*

De Maintenon (Mme.). 13 Letters. 75 c., *net. See Walter.*

Mazere's Le Collier de Perles. With Vocab. 56 pp. 20 c., *net.*

Mérimée's Colomba. (CAMERON.) With portrait. 230 pp. Cl. 60 c., *net.* Boards. 36 c., *net.*

Molière's L'Avare. (JOYNES.) 132 pp. Boards. 20 c., *net.*

—— **Le Bourgeois Gentilhomme.** (DELBOS.) Paper. 20 c., *net.*

—— **Le Misanthrope.** *New Ed.* (JOYNES.) 130 pp. Bds. 20 c., *net.*

Musiciens Célèbres. 271 pp. Cl. $1.00, *net.* Paper. 52 c., *net.*

De Musset's Un Caprice. Comedy. 56 pp. Paper. 20 c., *net.*

De Neuville's Trois Comédies pour Jeunes Filles. 134 pp. Paper. 35 c., *net.*

Poems, French and German, for Memorizing. (N. Y. Regents' Requirements.) 15 in each language. 35 pp. Paper. 10 c., *net. See also Hugo Selections, De Janon, and Pylodet.*

Porchat's Trois Mois sous la Neige. 160 pp. Cl. 70 c., *net.* Paper. 32 c., *net.*

Pressensé's Rosa. With vocabulary. By L. PYLODET. 285 pp. Cl. $1.00, *net.* Paper. 52 c., *net.*

Pylodet's Gouttes de Rosée. Petit Trésor poétique des Jeunes Personnes. 188 pp. 50 c., *net.*

—— **La Mere l'Oie.** Poésies, Enigmes, Chansons, et Rondes Enfantines. Ill'd. 80 pp. Boards. 40 c., *net.*

Racine's Athalie. *New Ed.* (JOYNES.) 117 pp. Bds. 20 c., *net.*

Postage 10 per cent additional. Descriptive Catalogue free.

TEXTS (*Continued*).

Racine's Esther. (JOYNES.) 66 pp. Boards. 20 c., *net.*
—— **Les Plaideurs.** (DELBOS.) 80 pp. Boards. 20 c., *net.*
Saint-Germain's Pour une Épingle. Legend. With vocabulary. 174 pp. Cl. 75 c., *net.* Paper. 36 c., *net.*
Sand's Petite Fadette. (BÔCHER.) 205 pp. Cl. $1.00, *net.* Boards. 52 c., *net.*
—— **Marianne.** (HENCKELS.) 90 pp. Paper. 30 c., *net.*
Sandeau's La Maison de Penarvan. Revolutionary Comedy. (BÔCHER.) 72 pp. Boards. 20 c., *net.*
—— **Mlle. de la Seglière.** Modern Drama. (BÔCHER.) 99 pp. Boards. 20 c., *net.*
Sévigné (Mme. de). 20 Letters. 75 c., *net. See Walter.*
Scribe's Les Doigts de Fée. Comedy. (BÔCHER.) Bds. 20 c., *net.*
—— **(et Mélesville), Valérie.** Modern Drama. (BÔCHER.) 39 pp. With vocabulary. Paper. 20 c., *net.*
—— **(et Legouvé,) La Bataille de Dames.** Modern Comedy. (BÔCHER.) 81 pp. Boards. 20 c., *net.*
Ségur's Les Petites Filles Modèles, bound with **Carraud's Les Goûters de la Grand'mère.** With list of difficult phrases. 98 + 95 pp. 80 c., *net. See Carraud.*
—— **Les Petites Filles Modèles.** 98 pp. Paper. 24 c., *net.*
Siraudin's (et Thiboust) Les Femmes qui Pleurent. Modern Comedy. 28 pp. Paper. 20 c., *net.*
Souvestre's La Loterie de Francfort, with **Curo's La Jeune Savante.** Comedies for Children. 47 pp. Bds. 20 c., *net.*
—— **Un Philosophe sous les Toits.** With table of difficulties. 137 pp. Cl. 60 c., *net.* Paper. 28 c., *net.*
—— **Le Testament de Mme. Patural,** with **Drohojowska's La Demoiselle de St. Cyr.** Plays for Children. 54 pp. Boards. 20 c., *net.*
—— **La Vieille Cousine,** bound with **Les Ricochets.** Plays for Children. 52 pp. Paper. 20 c., *net.*
Taine's Les Origines de la France Contemporaine. (EDGREN.) Extracts. With portrait. 157 pp. Boards. 50 c., *net.*
Thiers' Expédition de Bonaparte en Egypte. (EDGREN.) ix + 130 pp. Boards. 35 c., *net.*
Toepffer's Bibliothéque de Mon Oncle. (MARCOU.) (*Ready Feb.*, 1896.)
Vacquerie's Jean Baudry. Play. (BÔCHER.) Paper. 20 c., *net.*
Verconsin's C'était Gertrude, En Wagon. Boards. 30 c., *net.*
Verne's Michel Strogoff. (LEWIS.) Abridged. With portrait. 129 pp. 70 c., *net.*
Walter's Classic French Letters. Voltaire, Mmes. de Sévigné, de Maintenon, et du Deffand. (WALTER.) 230 pp. 75 c., *net.*

Postage 10 per cent additional. Descriptive Catalogue free.